この本を読むあなたへ
この本では、ヨーロッパを中心に、古代ギリシアや古代ローマ時代の人物から第二次世界大戦後に活躍した人物までと、さらに中国、イスラーム世界で活躍した人物も合わせ、200人以上について紹介しています。ドラマや小説、マンガの主人公として取りあげられるような有名な人物を中心に、見ているだけでときめく美しいイラストを添えて、どこから読んでも楽しめるようになっています。歴史上の人物たちがどんなことをしたのか、どんなことを考えていたのか、彼らの恋愛についてや、人柄がわかるようなエピソードがもりだくさんです。優雅な暮らしをしていた王や王妃、貴族から、戦いに明け暮れた騎士、海賊などまで、幅広く紹介しています。

また、読んで楽しいだけではなく、当時の人々の暮らしや服装など、調べ学習に役立つコラムもあり、読むうちに歴史についての知識もしっかりと身についていくことでしょう。

この本が世界の歴史への興味の入り口になることを願っています。

JN242541

もくじ

1章 ヨーロッパのはじまり（古代ギリシア～古代ローマ）

どんな時代だったの？ 14ページ

コラム

2章 ヨーロッパ世界の成立（新しい国の誕生とキリスト教）

どんな時代だったの？ 42ページ

コラム

3章 十字軍と百年戦争

どんな時代だったの？ 56ページ

コラム

4章
大航海時代とルネサンス
どんな時代だったの？
78ページ
マルコ・ポーロ ▶82
エンリケ航海王子 ▶83
アメリゴ・ヴェスプッチ ▶88
マゼラン ▶89
イサベル ▶84
コロンブス ▶86
フランシスコ・ピサロ ▶94
マリンチェ ▶91
エルナン・コルテス ▶90
モクテスマ2世 ▶92
フランシスコ・ザビエル ▶97
ボッティチェリ ▶102
アタワルパ ▶95
シモネッタ・ヴェスプッチ ▶103
アルテミジア・ジェンティレスキ ▶106
ミケランジェロ ▶104
ポカホンタス ▶96
ガリレオ・ガリレイ ▶107
レオナルド・ダ・ヴィンチ ▶100
カラヴァッジョ ▶106
ラファエロ ▶105
コラム
新大陸の先住民と文明 ……93
ルネサンスを生んだパトロンたち …98
ルネサンスの発明品 ……108
5章
宗教改革とヨーロッパの王政
どんな時代だったの？
110ページ
フランシス・ドレーク ▶122
セルバンテス ▶131
ドン・フアン・デ・アウストリア ▶130
クリスティーナ ▶140
デュ・バリー夫人 ▶150
カトリーヌ・ド・メディシス ▶142
ピョートル1世 ▶154
エカチェリーナ2世 ▶155

アン・ブーリン ▶116
ジェーン・グレイ ▶117
ヘンリ8世 ▶114
マルティン・ルター ▶112
シェイクスピア ▶124
メアリ・スチュアート ▶123
メアリ1世 ▶118
エリザベス1世 ▶120
ウォルター・ローリー ▶122
メアリ・リード ▶136
アイザック・ニュートン ▶125
アン・ボニー ▶136
ジョージ1世 ▶126
フェリペ2世 ▶128
ウィレム1世 ▶138
グスタフ・アドルフ ▶139
ジョン・ラカム ▶135
ヘンリー・モーガン ▶133
エドワード・ティーチ ▶134
ルイ15世 ▶147
モンテスパン侯爵夫人 ▶146
ショパン ▶160
ルイ14世 ▶144
バッハ ▶159
イヴァン4世 ▶153
ポンパドゥール夫人 ▶148
マリア・テレジア ▶156
クララ・シューマン ▶161
モーツァルト ▶159
ベートーヴェン ▶160
フリードリヒ2世 ▶157

コラム

6章 アメリカ独立革命とフランス革命

7章 自由主義・国民主義の時代

8章 ふたつの世界大戦

どんな時代だったの? 224ページ

コラム

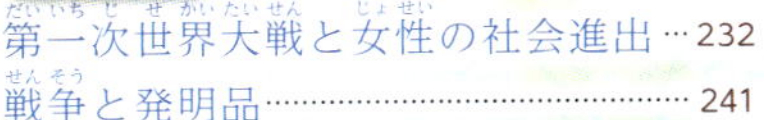

9章 激動の中国

どんな歴史だったの? 258ページ

コラム

10章
イスラーム世界
どんな歴史だったの?
288ページ
スレイマン1世▶299
イブン・バットゥータ▶297
ムハンマド▶290
ロクセラーナ▶300
メフメト2世▶298
ハールーン・アッラシード▶294
サラディン▶292
アッバース1世▶301
ケマル・パシャ▶302
シャジャル・アッドゥッル▶295
コラム
イスラーム社会の女性ファッション…296
終章
もっと知りたい 世界の偉人
アムンゼン▶308
ルーシー・モンド・モンゴメリ▶305
ビアトリクス・ポター▶305
ジョルジュ・サンド▶305
グリム兄弟▶304
スコット▶308
ダーウィン▶307
フランソワーズ・サガン▶306
アガサ・クリスティ▶306
アンデルセン▶304
ハワード・カーター▶309
ファーブル▶307
マリア・モンテッソーリ▶310
フェルマー▶310
サン・テグジュペリ▶306
オードリー・ヘプバーン▶313
ジョン・ハンター▶309
グレース・ケリー▶312
ヘディー・ラマー▶311
マリア・フォン・トラップ▶311
9

現在の主な国名&国旗マップ
カナダ
北アメリカ大陸
アメリカ合衆国（米）
大西洋
太平洋
メキシコ
ハワイ
ブラジル
キューバ
ペルー
南アメリカ大陸
アルゼンチン
デンマーク
ポーランド
オーストリア（墺）
ハンガリー
ルーマニア
ブルガリア
トルコ
マケドニア
ギリシア
この本で国名や国旗が出てきたら、このページを見てくれよな！
（）は漢字一字で表すときの表記だ

イスラエル
イラン
ロシア（露）
アフガニスタン
ユーラシア大陸
チュニジア
モンゴル
中華人民共和国（中）
大西洋
地中海
日本（日）
台湾
アフリカ大陸
イラク
フィリピン
インド
モロッコ
サウジアラビア
エジプト
インド洋
オーストラリア大陸
南アフリカ
オーストラリア
ヨーロッパはたくさんの国が登場するぞ
ヨーロッパ拡大図
スウェーデン
ノルウェー
イギリス（英）
北海
アイルランド
ドイツ（独）
オランダ
ベルギー
フランス（仏）
スペイン
バルカン半島
黒海
イベリア半島
イタリア半島
ポルトガル
地中海
モナコ公国
イタリア（伊）
クロアチア

重要語句

歴史の学習に役立つ語句や人物名を太字にしています。

マーク

とくに読んでほしいエピソードには、マークをつけています。

恋愛エピソードや、心があたたまるエピソード

情けないエピソードや、残念なエピソード

人物名

人物によっては複数の名前があったり、読み方がさまざまだったりします。代表的な名前と読み方を紹介しています。

ーロッパのはじまり（古代ギリシア～古代ローマ）

オレって神なんじゃない!?

ギリシア全土を征服したマケドニア王**フィリッポス2世**の息子。「あなたは神の子です」と家来たちから言われて育ち、その言葉を信じこんでいた。少年のころにケガをして出血すると「人間と同じ血が出る！」とおどろいたという。

父がアケメネス朝ペルシア帝国遠征の準備中に暗殺されると、20歳の若さで王位を継承。ペルシア帝国の征服へと乗り出し、**イッソスの戦い**でペルシア帝国を破るとシリアやエジプトも占領した。

「あなたは東方の世界を治める

のは、エジプトの太陽神を祭る神殿でのこと。これ以降、**アレクサンドロス大王**は、各地にさらなる軍事遠征をすすめることになる。

やさしさをもち合わせた熱血漢

「わたしは、ただ神からあたえられた責任をはたすだけ」と使命感に燃え、軍隊の規律には厳しかった。

一方、征服した地域では、ヨーロッパとアジアの文化を融合し、**ヘレニズム文化**という新しい文化が

大王も蚊には勝てず…!?

巨大帝国を築いた大王だったが、蚊に刺され熱病におかされて、33歳であっけなく死んでしまう。遺言は「王位は最も強き者に継がせよ」。その結果、後継者争いが起き、大帝国は崩壊した。

19

国旗

その人物が主に活躍した国の、現在の国旗を紹介しています。10ページに国名と国旗、国の位置がわかる地図があります。

語句の説明

わかりにくい語句には※をつけ、説明文をのせています。

プロフィール

出身地、生没年について複数の説がある場合は、代表的な説を採用しています。また、その人物の性格や特技も紹介します。

ミニコラム

その人物に関係のあるエピソードや道具、マップなどを紹介します。

おもしろいエピソードやウラ話など

その人物に関係のある地図や勢力図など
（地図中の❌は戦いのあった場所）

現在でも見られる建物などの写真や図版

当時使われていた道具などを紹介

相関図・家系図について

〈例〉

- 夫婦は ══ でしめす。
- 親子関係は ── でしめし、生まれた順に右からならべている。
- 関係のあるものは →← ↔ でしめし、「主従」「○○する」など文字でしめす。対立するときには ✸ をつけている。

★年齢は、原則として満年齢（誕生日が来るごとに１歳増える）で表記しています。
★本書では、原則として年は西暦で表記しています。紀元前は「前100年」のように表記しています。
★できごとが起きた年やエピソードには、諸説あることもあります。

1章 ヨーロッパのはじまり（古代ギリシア～古代ローマ）

主なできごと

時代	年	できごと
前8～前1世紀	前750年ごろ	ギリシア周辺にポリス（都市国家）がつくられる
	前6世紀ごろ	**サッフォー**（▶21）がレスボス島で若い女性を集め、作詩を教える
	前500年ごろ	イタリア半島の都市国家ローマで**共和政**が始まる
	前4世紀ごろ	**アレクサンドロス大王**（▶18）が大帝国を築く
		アテネで**ソクラテス**（▶20）が人々に教えを説く
	前3世紀前半	ローマが全イタリア半島を支配
	前264～前146年	ローマとカルタゴとの間で、3度の**ポエニ戦争**が起こり、カルタゴの**ハンニバル**（▶22）が活躍
	前2世紀半ば	ローマが地中海全体をほぼ制覇
	前73～前71年	ローマで**スパルタクス**（▶23）の反乱が起こる
	前60年	**ユリウス・カエサル**（▶26）らによる**第1回三頭政治**が始まる
	前46年	カエサル、ローマ全土を治める
	前44年	カエサル、**ブルートゥス**（▶32）らに暗殺される
	前43年	**オクタウィアヌス**（▶31）らによる**第2回三頭政治**が始まる
	前31年	**アクティウムの海戦**で、オクタウィアヌスが**アントニウス**（▶30）、**クレオパトラ**（▶28）を破る
	前27年	オクタウィアヌス、**アウグストゥス（尊厳者）**の称号をあたえられて皇帝となり、**帝政ローマ**が始まる
	前7～前4年ごろ	**イエス・キリスト**（▶34）が誕生
1～4世紀	1～2世紀ごろ	**「ローマの平和」**といわれる平和と繁栄の時代
	212年	**カラカラ帝**（▶38）が、ローマ帝国内のすべての自由人にローマ市民権をあたえる
	313年	ローマでキリスト教が公認される
	375年	**ゲルマン人**の大移動が始まる
	392年	**テオドシウス帝**（▶39）が、キリスト教をローマの国教と決める
	395年	ローマ帝国、東西に分裂

どんな時代だったの?

古代ギリシア〜古代ローマ

ギリシア文明の誕生

今から約6000年前〜5000年前までにかけて、世界の各地でさまざまな文明が誕生した。

ギリシア周辺では、前750年ごろに各地にポリス(都市国家)がつくられ、アテネやスパルタなどのポリスが繁栄した。はじめは王によって国が治められていたが、やがて市民が代表を選ぶしくみへと変わった。

このように繁栄したギリシアだが、前4世紀ごろマケドニアの支配下となり、その後**アレクサンドロス大王**(▼18)が広大な帝国を築いた。

ギリシアの文化と繁栄

ギリシアでは、自由な空気の中で、人間中心の明るい文化が栄えた。

世界最古の文学である『イリアス』や『オデュッセイア』を残した**ホメロス**や女性詩人の**サッフォー**(▼21)などが登場。また、数学者の**ピタゴラス**や地球の円周を計測した**エラトステネス**、哲学の分野では**ソクラテス**(▼20)とその弟子の**プラトン**などが活躍した。また、「ミロのヴィーナス」など、神話の神を表した彫刻が数多くつくられた。

MAP ギリシア文明と都市国家

黒海
エーゲ海
レスボス島
地中海
アテネ
クレタ島

エーゲ海を中心に、各地に都市国家がつくられていた。

パルテノン神殿

前5世紀ごろ、アテネのアクロポリスの丘につくられた、古代ギリシアの神殿。

古代ローマの登場

イタリア半島の都市国家ローマでは、前500年ごろに**共和政**（指導者を国民から選ぶしくみ）が始まった。ローマは、周りの都市国家に戦争をしかけて征服し、前3世紀前半にイタリア半島のほぼ全土を支配した。

戦いをくり返し、イタリア半島を支配したローマは、地中海へと領土を広げていった。

地中海にも進出したローマは、都市国家カルタゴとの間で3度の**ポエニ戦争**を起こす。ローマはカルタゴの名将**ハンニバル**（▼22）に苦しみながらも勝利し、勢力をのばした。

前2～前1世紀ごろ、貧富の差によって市民が対立していたローマでは、**スパルタクス**（▼23）の反乱などが起こる。この混乱に乗じて、**カエサル**（▼26）らが**第1回三頭政治**を行い、カエサルが実権をにぎった。

カエサルが暗殺されたあと、**オクタウィアヌス**（▼31）、**アントニウス**（▼30）らによる**第2回三頭政治**が始まる。オクタウィアヌスは、エジプト女王**クレオパトラ**（▼28）と組んだアントニウスらを破って皇帝となり、**帝政ローマ**が始まった。

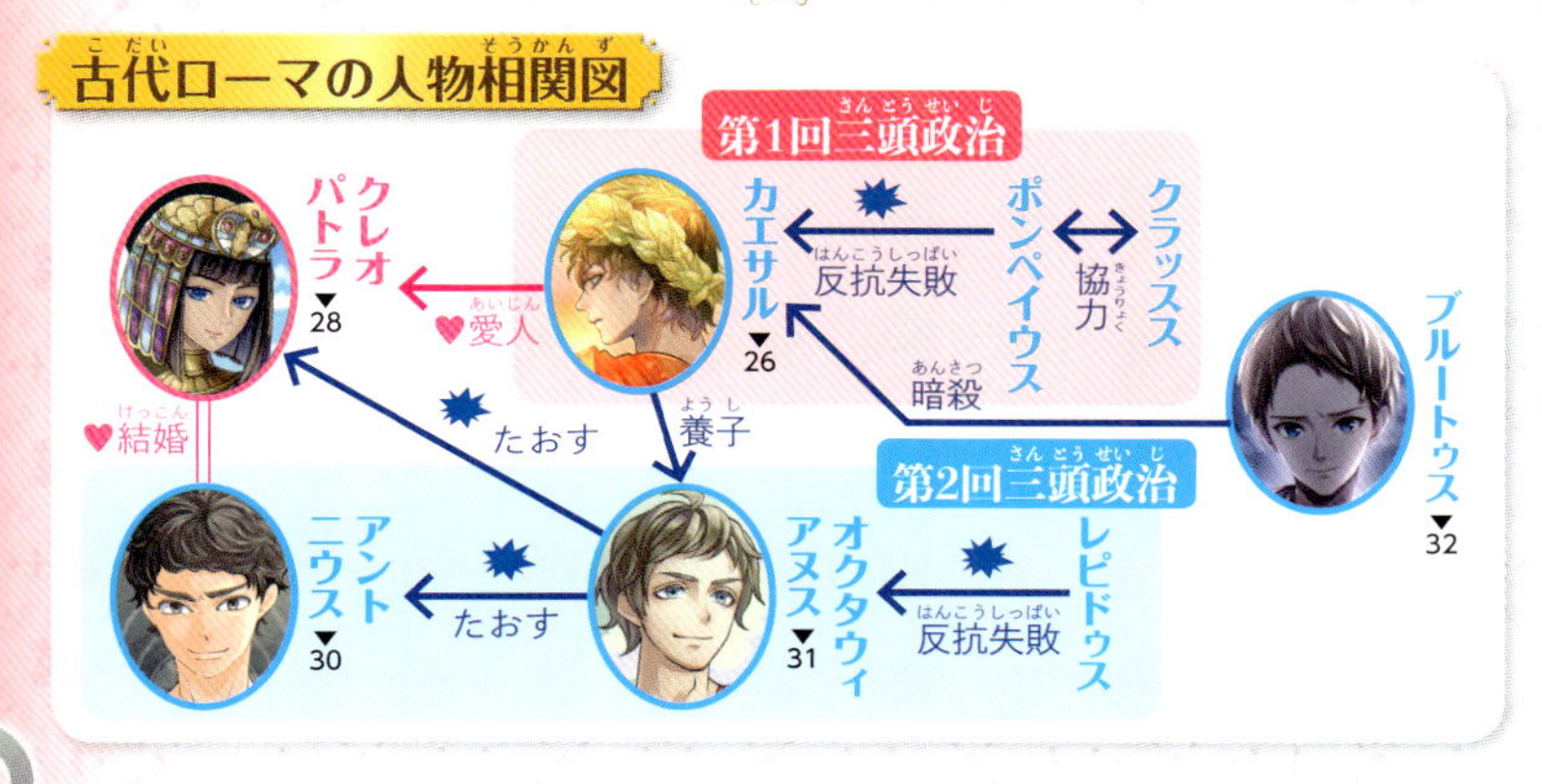

帝政ローマの繁栄（パクス・ロマーナ）

前27年に**オクタウィアヌス**が皇帝となって以降、約200年の間、**ローマ帝国**は平和な時代をむかえた。この時代を**「ローマの平和」**（パクス・ロマーナ）という。

パクス・ロマーナの時代、ローマ帝国は地中海を囲む領土に次々と都市をつくると、ローマを中心に道路や水道を広げ、**「すべての道はローマに通ず」**とたたえられた。

しかし、異民族ゲルマン人の大移動などによりローマ帝国は混乱し、395年に大帝国は東西に分裂した。

ローマの文化

ローマでは、ギリシアの文化を受け継ぎながらも、独自の文化が花開いた。とくに建築技術が発達し、コロッセウム（▼23）やパンテオン、アッピア街道、**カラカラ帝**（▼38）によって建設されたカラカラ浴場など、すぐれた建築物が多くつくられた。また、※天動説を唱えた**プトレマイオス**などの科学者も登場した。

パンテオン

オクタウィアヌスが皇帝のときにつくられたローマ市内の神殿。一度焼失するも、128年ごろに再建された。

MAP ローマ帝国の最大領土と395年の東西分裂

98年即位のトラヤヌス帝のころに最大領域となるが、395年に分裂した

※**天動説**：地球を中心に、天（空）が動き、回っているという考え。

キリスト教の誕生

紀元1世紀のはじめ、中東のベツレヘムという町に生まれた**イエス・キリスト**（▼34）は、ユダヤ教の考えを批判し、階級や貧富の差を超えた絶対愛を信じ、隣人を愛するべきだと説いた。イエスは、**ユダ**（▼36）の裏切りによってイエルサレムで処刑されてしまうが、その教えは弟子の**ペテロ**（▼36）などによってキリスト教として広められた。

イエス・キリストが処刑されたイエルサレムを聖地として、弟子たちにより、ローマへと広められた。

ローマへと伝わったキリスト教は、**ネロ帝**（▼37）をはじめとするローマ皇帝にたびたび迫害された。しかし、信者は増えつづけ、313年、**コンスタンティヌス帝**はキリスト教を公認した。

その後、イエス・キリストは神の子か、人間か、という議論が起こるが、325年の**ニケーア公会議**では、イエス・キリストは神の子とする考えが正統派と認められた。そして392年、**テオドシウス帝**（▼39）がキリスト教をローマ帝国の国教に決めた。

それ以降、キリスト教はヨーロッパ中に広まっていくこととなる。

そのころの日本は… 弥生～古墳時代

ギリシアやローマが栄え、キリスト教がローマ帝国内に広まっていったころ、日本は弥生時代だった。

この時代、大陸から伝わった稲作が本格的に行われるようになり、各地に小さな国ができた。1～2世紀のころ、日本は倭国とよばれる分裂国家で、このころ、中国の漢や魏に遣いを送り、皇帝から「金印」をもらっている。3世紀に入ると、女王**卑弥呼**が治める邪馬台国が繁栄。有力者の墓である「古墳」が各地につくられ、古墳時代へと突入した。4世紀になると、ヤマト政権による統一が進められた。

聖墳墓教会

旧イェルサレム市街地にある、キリストの墓とされる聖墳墓教会。キリスト教の聖地とされている。

神の言葉にしたがった若き英雄
アレクサンドロス大王
マケドニア王
出身地：マケドニア
生没年：前356〜前323年
性　格：信じこみやすい

オレって神なんじゃない!?

ギリシア全土を征服したマケドニア王**フィリッポス2世**の息子。「あなたは神の子です」と家来たちから言われて育ち、その言葉を信じこんでいた。少年のころにケガをして出血すると「人間と同じ血が出る！」とおどろいたという。

父がアケメネス朝ペルシア帝国遠征の準備中に暗殺されると、20歳の若さで王位を継承。ペルシア帝国の征服へと乗り出し、**イッソスの戦い**※でペルシア帝国を破るとシリアやエジプトも占領した。

「あなたは東方の世界を治めるべき人物」という神の声を聞いたのは、エジプトの太陽神を祭る神殿でのこと。これ以降、**アレクサンドロス大王**は、各地にさらなる軍事遠征をすすめることになる。

やさしさをもち合わせた熱血漢

「わたしは、ただ神からあたえられた責任をはたすだけ」と使命感に燃え、軍隊の規律には厳しかった。

一方、征服した地域では、ヨーロッパとアジアの文化を融合し、**ヘレニズム文化**という新しい文化が生まれた。自身もアジア人の女性と結婚するなど、帝国内の生活や文化の交流を大切にする一面ももち合わせていた。

大王も蚊には勝てず…!?

巨大帝国を築いた大王だったが、蚊に刺され熱病におかされて、33歳であっけなく死んでしまう。遺言は「王位は最も強き者に継がせよ」。その結果、後継者争いが起き、大帝国は崩壊した。

MAP アレクサンドロス大王が支配した地域

マケドニア
イッソスの戦い
アテネ
ペルシア
エジプト
インド

東方遠征をくり返し、シリアやエジプトまで支配を広げた。

※**イッソスの戦い**：前333年、4万5千人のマケドニア軍が、60万人のペルシア軍を破った戦い。

数々の名言で市民の心をわしづかみ

古代ギリシアの都市国家アテネの政治や道徳のあり方をなげいていた哲学者**ソクラテス**。市民の知識・意識・道徳心を高めようと決意する。「あなた自身を知りなさい」「生きるために食べよ。食べるために生きるな」「いかなる財宝と比べようとも、良友に勝るものはないではないか」などの言葉は、人々の心につき刺さった。

哲学者になるには鬼嫁をもて!?

人々に教えを説きつづけるソクラテス。一方、稼ぎのない夫に、妻の**クサンティッペ**はイライラを募らせ、ソクラテスの頭に小便をかけたことさえあった。しかし、ソクラテスは気にもせず、弟子や友人に、「とにかく結婚したまえ。良妻をもてば幸福になれるし、悪妻をもてば哲学者になれる」と言っていたという。

ソクラテスは、「本質は言葉だ。文字で伝えるな」と言っていたが、弟子の**プラトン**たちが名言を文字に残したことにより、後世の思想家に大きな影響をあたえた。

若いコたちとヒ・ミ・ツの授業!?

美の女神アフロディーテに捧げる歌など、数々の美しい詩をつくった**サッフォー**。哲学者**プラトン**は彼女を「芸術の女神」とたたえ、政治家であり詩人の**ソロン**は「彼女の詩を覚えてから死にたい」と口にするほどだった。

サッフォーは地中海に浮かぶ美しい島、レスボス島に、若い未婚女性だけを集めた学校をつくり、作詩や音楽を教えていた。また、同性の友人の美しさをたたえる作品や愛の歌を数多く残した。すでに結婚していたサッフォーだったが、そのような言動や詩から、同性愛者ではないかとうわさされるようになり、後世、「レズビアンの祖」とよばれるようになった。

一方で、美青年の詩人**フォアーン**に恋するもふられ、悲しみのあまり自殺したとの伝説もある。

ひみつのエピソード　レズビアンの語源

サッフォーが若い女性を集めて詩を教えていたレスボス島。「レスボスの人」を意味する「Lesbion」という言葉が、女性の同性愛者を意味する「レズビアン」の語源となっている。

ゾウに乗って山を越えるのだ！

前264年から前146年まで、ローマ帝国とカルタゴの間で3度行われ、最終的にローマの勝利で終わった**ポエニ戦争**。経済・人口・軍事力などで優位に立つローマ側が有利に戦いをすすめるなか、カルタゴの名将**ハンニバル**は国力の差をものともせず、ひとり奮戦してローマを苦しめつづけた。

とくに2度目の戦いでは、多数の兵士とゾウを率いて雪のアルプス山脈を越え、ローマ本国に攻め込み、ローマ人をおどろかせた。前202年、ハンニバルは降伏するが、「わたしこそ最も偉大な将軍だ」と言い放った。その後、シリアへのがれるが、最後は「そろそろローマ人たちを恐怖と心配から解放してやろう」という言葉を残し、毒を飲んで自決した。

MAP　ハンニバルのアルプス越え

アルプス山脈
ローマ
カルタゴ

ローマの北西にあるアルプス山脈を、ゾウ37頭と4万人もの兵士を連れて乗り越えてローマに攻め込んだ。

自由はオレたちの手でつかむ！

剣を手に殺し合いのショーをさせられる**剣闘士奴隷**だった**スパルタクス**は、前73年、「ローマ人の見せものになるよりも、自分たちの自由のために闘おう」と奴隷仲間を説得し、反乱を起こした。規模はイタリア全土に拡大。その仲間は数十万にもふくれあがり、ローマ軍を何度も撃退するなど古代ローマ最大の反乱となった。

強く、頭もよかったスパルタクス。大軍に包囲されたときは、戦うふりをし、その間に脱出するという策略を見せた。また、兵士による略奪をふせぐため、「金銀を持ってはならない」との命令を出し、軍の規律を保っていた。

多くの兵士に信頼されて戦うが、スパルタクスは追いつめられていく。最後はローマの大軍に決戦を挑み、乱戦のなかで戦死した。

コロッセウム

コロッセウムとよばれる円形闘技場では、ローマ市民のためのショーとして、命がけの剣闘が行われていた。

コラム

ローマ人の暮らし

古代ローマでは、人々は夜明けとともに起き、身のまわりのことは奴隷に行わせ、娯楽を楽しんでいた。

仕事は午前中だけ

ローマ人は、朝起きるとまず神棚にむかって香をたき、先祖の霊に祈りを捧げた。そしてかんたんな朝食をとり、朝8時ごろに仕事を始め、子どもは学校へ通った。

仕事は午前中だけで終わらせ、午後は食事のあと、コロッセウムで戦いを見たり、公衆浴場でくつろいだりしていた。夕方になると、家族や友人と豪華な食事をしていた。

住まい

都市に人が集まり、インスラとよばれる集合住宅に住んでいた。

服装

女性も男性も、布をぬい合わせたトゥニカとよばれる服を着ていた。女性はストーラを重ね着してパルラをはおり、男性はトーガという上着をはおった。

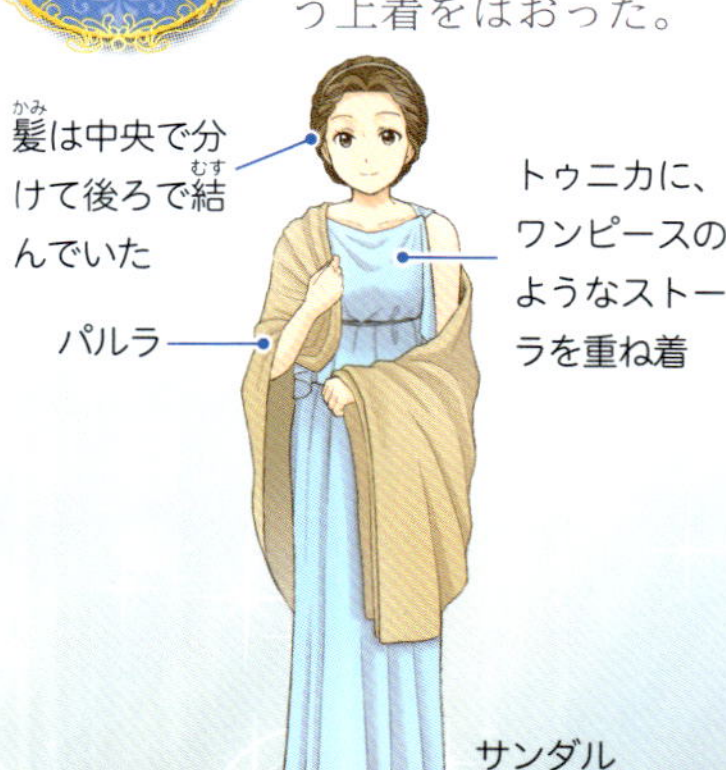

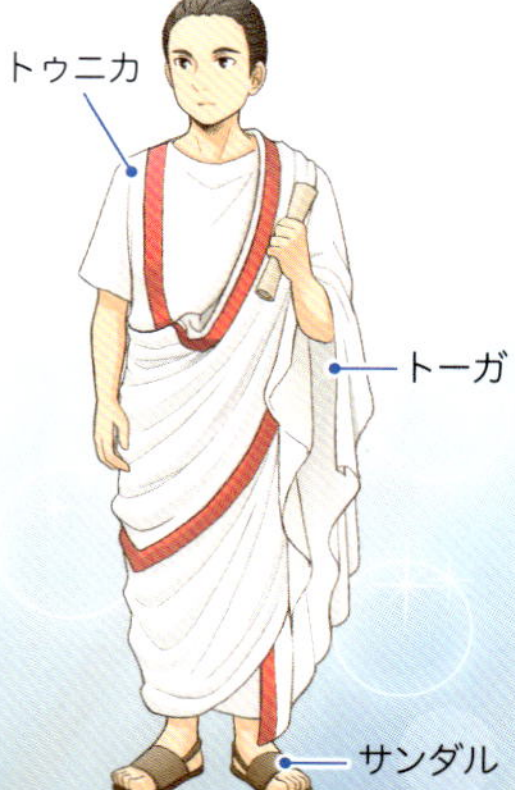

食事

朝はブドウ酒にひたした平たいパンを食べていた。夕食は、上流階級の人々は宴会を開き、長イスに寝転がって会話を楽しみながら食べた。

上流階級の夕食

庶民の朝食

娯楽

人々は、午前中の仕事を終えると、コロッセウムで剣闘見物や劇場での観劇、公衆浴場での入浴などを、思い思いに楽しんだ。

コロッセウム（円形闘技場）では、剣闘士奴隷どうしの戦いや、剣闘士と猛獣の戦いなどが行われた。その戦いの様子を、人々は階段状の観客席から観戦した。

公衆浴場には運動場やプールがあり、体を動かして汗を流したあと、入浴をしていた。

古代ローマの心やさしき独裁者
ユリウス・カエサル
共和政ローマの政治家
出身地：ローマ
生没年：前100～前44年
性　格：義理がたく、やさしい

オレはそんなに安くない！

貴族の家に生まれた**カエサル**。20代のころ、地中海で身代金目的の海賊に捕まったが、「身代金が安すぎる！」と激怒し、3倍以上の金額を提示させたという。

ナンバーワンになってやる！

そんなカエサルだったが、国のお金を管理する財務官として政界に入ると頭角を現し、前60年には「**第1回三頭政治**※」を行う政治家のひとりとなる。軍人としてはガリア地方（現在のフランス）への遠征を行い力を見せつけ、ローマ市民からの人気を集めた。

前49年、政敵**ポンペイウス**による暗殺の危険を感じると、先手を打ってローマに進軍。「**賽は投げられた（もうあともどりはできない）**」という言葉でためらいの思いを断ち切り、ローマ市内に乱入すると、遠征もくり返し反対派勢力を制圧した。そして権力を一手に握り、独裁政治を行うようになる。

遠征先のエジプトでは、エジプト王の姉の**クレオパトラ**（▼28）と出会い、ふたりは結ばれた。

すべてはローマ市民のためさ！

カエサルは、独裁といってもローマ市民のために政治を行った。食料の値段を安くし、街づくりを行い、市民の娯楽である剣闘士や野獣によるショーも数多く開催。ローマが支配している属州（海外領土）の人々にもローマ市民権をあたえ、お世話になった人は身分に関係なく役人に採用した。

お前もオレのことキライだったの!?

前44年、カエサルは反カエサル派のメンバーによって暗殺される。そのなかには、かわいがっていた**ブルートゥス**（▼32）もいた。23か所を刺され、「**ブルートゥス、お前もか**」と口にして絶命した。ローマ市民はカエサルの死をとても悲しみ、このやさしき独裁者を盛大な火葬にしたという。

※**第1回三頭政治**：カエサル、ポンペイウス、クラッススの3人の実力者による政治。

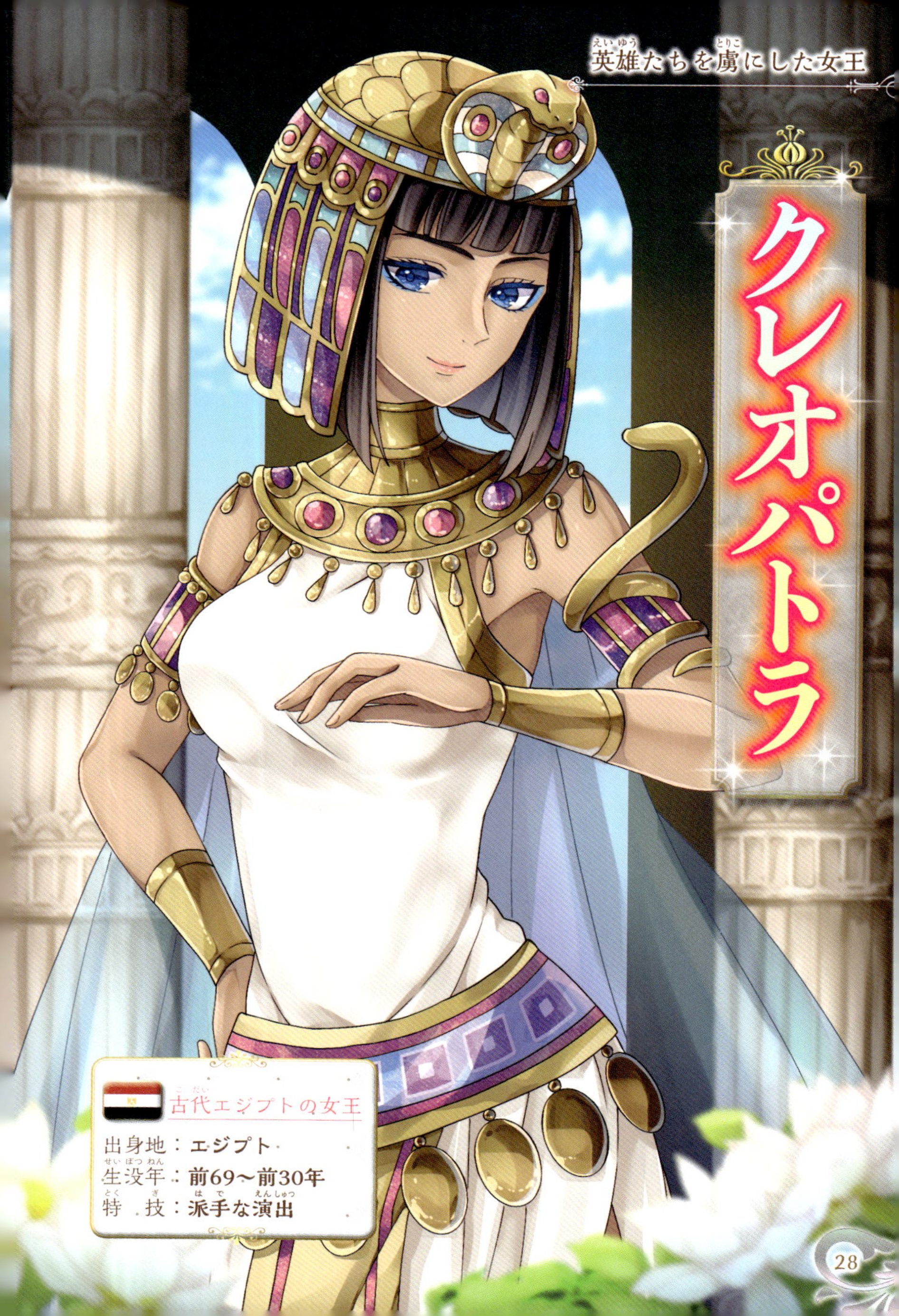
英雄たちを虜にした女王
クレオパトラ
古代エジプトの女王
出身地：エジプト
生没年：前69～前30年
特　技：派手な演出

サプライズが大好き！

古代エジプトの王女。ローマを支配した**カエサル**（▼26）がエジプトに遠征に来たとき、**クレオパトラ**はエジプトから追放されるが、大きな袋の中に隠れ家来に運ばせ、カエサルのいる宮殿に潜入。袋の中から姿を現し、カエサルをおどろかせたという。カエサルは気に入り、ふたりは結ばれる。クレオパトラはカエサルの力によってエジプトの女王となった。

女神のコスプレで誘惑しちゃお！

カエサルが暗殺されたあと、今度は新たにローマの実力者となった**アントニウス**（▼30）を虜にすべく作戦を練る。アントニウスに罰せられるためによびつけられた際、クレオパトラは美と愛の女神アフロディーテのコスプレをすると、黄金や銀で飾った船に乗り、アントニウスの元へむかった。豪華で妖艶な演出に圧倒されたアントニウスは、たちまちクレオパトラに夢中になった。

クレオパトラは知的で7つの言語を話せるなど語学や話術にもすぐれ、さらには、小鳥の鳴き声のような心地よい声をしていたという。そのため、カエサルやアントニウスをあっさり魅了できたともいわれている。

死に様もドラマティックに!?

ふたりのローマの実力者を虜にしたクレオパトラ。ローマ市民からは「ナイルの魔女」とののしられた。しかし、クレオパトラがふたりに近づいたのは、実は、弱体化する一方のエジプト王朝をローマの力を借りてでも支え、何とか自主・独立を維持しようという思いからだった。

そのためアントニウスが**オクタウィアヌス**（▼31）との戦いに敗れ、エジプトがローマの属州になることが決まると、絶望のあまり自殺した。一説では、毒ヘビに乳房をかませたと伝えられている。

エジプト女王との激しい恋

アントニウス

カエサルの副官

出身地：ローマ
生没年：前83〜前30年
性　格：恋に一途

好きすぎてたまらない！

カエサル（▼26）の部下にして盟友。前44年、カエサルが暗殺されると、**アントニウス**はローマ市民の前でカエサルをたたえる演説を行った。最後に血まみれのカエサルの服を槍にかけて掲げると、市民の怒りは頂点に達し、暗殺者たちはローマから逃げ出したという。「**第2回三頭政治**※」に加わりローマの実力者となったあと、エジプトの女王**クレオパトラ**（▼28）に出会い、激しい恋に落ちる。ラブレターが届くと公式の場でも読みふけるほどだったという。

クレオパトラにローマの属州をあたえるなど、公私の区別がつかなくなるアントニウス。三頭政治のひとり、**オクタウィアヌス**（▼31）と対立すると、前31年、**アクティウムの海戦**で激突して敗れ、自殺した。愛するクレオパトラにだかれ、息を引き取ったという。

ひみつのエピソード　実は不倫!?

クレオパトラとの恋は、実はアントニウスがオクタウィアヌスの姉と結婚している最中だった。この不倫に対するオクタウィアヌスの怒りが、ふたりが戦った一因といわれている。

※**第2回三頭政治**：アントニウス、オクタウィアヌス、レピドゥスの３人の実力者による政治。

ライバルを破り、初代皇帝に

カエサル（▶26）の姪を母とし、暗殺された養父カエサルの後継者となる。当時18歳ながら冷静沈着な**オクタウィアヌス**。ライバルの**アントニウス**（▶30）や**レピドゥス**と協力して「第2回三頭政治」を行いながら相手の力をさぐり、**アクティウムの海戦**でアントニウスと**クレオパトラ**（▶28）を破る。トップに立つと、ローマの政治を行う元老院から「**アウグストゥス（尊厳者）**」という称号をおくられ、ローマ初代皇帝となった。

政治・経済・軍事だけではなく、神殿づくりも熱心で、多くの神殿を建て、自費で修理もした。オクタウィアヌスの時代、ローマは急速に発展。「わたしはレンガづくりのローマを大理石に変えた」と自慢するほどで、その後200年つづく「**ローマの平和**」（パクス・ロマーナ）の基礎が築かれた。

ひみつのエピソード　親友との最強タッグ

オクタウィアヌスにはアグリッパという親友がいた。アクティウムの海戦で敵を破るなど、病弱なオクタウィアヌスを支えつづけ、ローマ初の市民浴場をつくるなど、ローマの発展にも貢献した。

悩み多き暗殺者

清く正しい人柄と高い理想のもち主で、当代きっての学者だったブルートゥス。「人徳」「義務」「忍耐」についての書物を書き、弁論の名手でもあった。**カエサル**(▼26)はそんなブルートゥスを息子同然に愛し、活躍の場をあたえた。

カエサルに深い恩を感じるも、カエサルによる独裁政治の現実と、自分の理想とする政治のあり方のはざまで苦しむブルートゥス。悩んだ末に「カエサルをたおす以外、現状を変える道はない」と考え、反カエサル派のメンバーとなり、暗殺を決行。カエサルは**「ブルートゥス、お前もか」**と絶望の言葉を発して、たおれた。

カエサル暗殺後、反カエサル派は市民の反発でローマを追われる。最後は討伐軍との戦いに敗れ、自らの手で命を絶った。

カエサルの暗殺現場

「アレア・サクラ(聖域)」とよばれ、現在もローマの中心部に残されている。

皇帝の力を示すもの

古代ローマを支配したユリウス・カエサルや初代皇帝オクタウィアヌスは、自身を神格化して力を示していた。

オレは神の子孫だぜ！

ユリウス・カエサル（▼26）がローマの内乱を収め、最高権力者となると、神としてまつられるようになった。カエサルは、自らを女神ウェヌス（ヴィーナス）の子孫だと主張して、力をアピールしたという。カエサルの養子だった**オクタウィアヌス**（アウグストゥス＝尊厳者）（▼31）も、皇帝となるとその考えを受け継ぎ、女神の子孫だと主張した。

アウグストゥスの像

初代皇帝オクタウィアヌス（アウグストゥス）の像。足元に女神ウェヌスの子、クピド（キューピッド）がいることで、神の子孫であることを示している。

皇帝を意味する言葉にかくされたヒミツ

カエサル

カエサルの名前や役職が、ヨーロッパ各国の「皇帝」を意味する言葉になっている。

ドイツ語 **カイザー**　ロシア語 **ツァーリ**

↑ カエサル

英語 **エンペラー**

↑ 「インペラトル」（カエサルの役職：軍の最高司令官）

カレンダーに残るふたりの名前

オクタウィアヌス　カエサル

ユリウス・カエサルは、エジプトの暦をもとに、１年を12の月、365日とする**「ユリウス暦」**※をつくった。１、３、５、６月は神の名前がつけられたが、カエサルの生まれた７月は「ユリウス」とつけられた。その後、オクタウィアヌスが、８月を、自らを表す「アウグストゥス」に変更した。

	ユリウス暦		現在の英語の月名
7月	Julius	→	July
8月	Augustus	→	August

※ユリウス暦：前45年に導入された暦。1582年にそれを修正したグレゴリオ暦ができ、現在も使用されている。

イエス・キリスト

キリスト教の創始者

出身地：中東ベツレヘム（現・イスラエル）
生没年：前７ころ(前４ころとも)〜後30年ごろ
特　技：布教活動

イエス・キリストはユダヤ教徒!?

ベツレヘムという町で母・マリアの子として誕生した**イエス**は、ユダヤ教徒として育つ。巡礼者**ヨハネ**から洗礼を受けたイエスは独自の教えにたどりつき、後29年ごろから布教を開始した。

イエス様こそメシア（キリスト）だ！

イエスから発せられる「神の愛は身分や貧富に関係なくすべての人におよぶ」「己を愛するように隣人を愛し、敵のためにさえ祈りなさい」「神の国は信じる人の心のなかにある」などの言葉は、神の救いを求める人たちの心をとらえた。また、病人や女性、差別されている人々をいたわり癒してまわると、人々はしだいにイエスこそ神がつかわした**救世主※（メシア）**つまり、**「キリスト」**であると考えるようになった。

わたしは神の子

しかし、多くの弟子ができ教団が形成され始めると、ほかの宗教勢力から危険視され、「ローマに対して反逆を企てているのではないか」と告発されてしまう。裁判の席で、イエスは無実を主張することなく、「わたしは神の子」とのみ答え、死刑を宣告された。

ゴルゴタの丘で十字架にはりつけにされた際、イエスは自分を十字架にかける人々のために、「どうか彼らを許してやってください。自分たちが何をしているかわからないでいるからです」と神に祈り、彼らの罪をつぐなう代わりに、自らの死を選んだという。

キリスト教の誕生

死の3日後、イエスは復活し、40日後に昇天する、という奇跡を弟子たちは目撃する。**ペテロ**（▶36）や**パウロ**などの弟子たちにより、イエスの行動・言葉・奇跡は伝えられ、**新約聖書**にまとめられた。これにより人々に信仰が広まり、キリスト教が誕生した。

※ **救世主**：ユダヤ人の使うヘブライ語では「メシア」、ギリシア語では「キリスト」という。

イエスが最も信頼した弟子

元漁師。**イエス**(▼34)と出会い、弟子となる。**ペテロ**とは「岩」を意味し、イエスによってつけられた。イエスの12大弟子のトップとして教団をまとめ、イエスの刑死後は使徒（イエスの教えを伝える指導者）として、キリスト教を各地に伝えた。ローマで布教中、**ネロ帝**(▼37)の迫害により殉教※したとされている。ペテロの墓とされるところには、後年、**サン・ピエトロ大聖堂**(▼43)が建てられた。

※**殉教**：宗教上の信仰に対する迫害のために命を失うこと。

イエスを売った裏切り者

ユダ

出身地：ユダヤ地方のカリオテ
（現在のイスラエル南部）
生没年：不明

正式には**イスカリオテのユダ**とよばれる。イスカリオテとは「カリオテの人」という意味。**イエス**(▼34)の12大弟子のひとりであり、イエス一行の会計係を任されていたが、金銭欲の強さから日常的にお金をぬすんでいた。イエスがユダヤの指導者にねらわれていると知ると、銀貨30枚の見返りと引き換えにイエスの居場所を教え、売りわたした。イエス刑死後、行いを恥じたユダは自殺した。

ローマ史上最悪の暴君!?

ネロ帝

第５代ローマ皇帝

出身地：ローマ
生没年：37〜68年
特　技：楽器演奏と歌

ふたつの顔をもつ男は暴君？　名君？

54年〜68年までの14年間、ローマを治めた**ネロ帝**。在位中は暴君かつ名君というふたつの顔をもっていた。

宮廷では暴君だった。政治に干渉する母親を殺し、元妻を自殺に追いこみ、家庭教師であった大臣にも死を命じた。また、キリスト教を迫害したことも、後世で暴君といわれる理由となっている。

その一方、ローマ市民に対しては名君であったともいわれている。64年にローマを焼きつくす大火が起こった際には、被災者支援と復興事業に並々ならぬ手腕を発揮。ただ、大火の犯人はネロ帝ではないか、という説も強い。

ネロ帝はまた「芸」を愛し、ローマ市民の前で楽器の演奏や歌を披露したこともある。歌の途中で地震が起きても、最後まで歌い切ったという。また、皇帝主催で文化祭を行うなど型破りな皇帝だった。

しかし、宮廷内の暴君ぶりで次第に孤立。最後はローマから逃げ出し「ああ、偉大な芸術家が失われるのだ」と言い残して自殺した。

大浴場に名前を残す皇帝

カラカラ帝

アレクサンドロス大王の生まれ変わり!?

本名はマルクス・アウレリクス・セウェルス・アントニヌス。日ごろから「カラカラ」というコートを好んで着ていたことから**カラカラ帝**の名でよばれた。

カラカラ帝は自分のことを軍事の大天才で、**アレクサンドロス大王**(▼18)の生まれ変わりだと信じていた。軍には人気があったが、実の弟の**ゲタ**を政権争いの末に母のすぐ近くで殺すなど、残虐な面もあり、ローマ史上に残る暴君のひとりといわれている。

一方、212年の**アントニヌス勅令**では、帝国内すべての属州に住む人に対してローマ市民権をあたえた。目的は税金収入のアップ。しっかりと政治は行っていた。

この皇帝が後世に名を残すためにつくらせた**カラカラ浴場**は、今もローマの街に遺跡が残っている。

カラカラ浴場

ローマ市街につくられた古代ローマ最大のレジャー温泉施設。サウナや遊戯施設、図書館もあり、冬には床暖房が効いていたという。

奇跡的なカムバックで皇帝となる

古代ローマで名将とうたわれた**大テオドシウス**の息子。父親と転戦し戦功をあげ、若くして指揮官となった。しかし376年、父親が無実の罪で処刑されてしまう。**テオドシウス**は命だけはたすけられ、現在のスペインへと移った。

運命を受け入れ淡々と暮らすが、静かな日々は4か月で終わりをむかえる。何と、ローマ帝国西部皇帝※から、空席になったローマ帝国東部皇帝の地位を託されたのだ。皇帝となると、異民族の西ゴート族との対立を解消するなど手腕を発揮。そして、ローマ帝国西部で皇帝殺害事件が起こると、ここぞとばかりに西の新皇帝をたおし、東西ローマ帝国を統一した。

しかし、ふたりの息子に帝国の東西を分けあたえたため、ローマ帝国は再び分裂するのだった。

ひみつのエピソード オリンピックは認めない!?

統一したローマではキリスト教以外認めなかった。そのため、戦争があろうと4年に1回必ず開催されていた、古代ギリシアのゼウスを祭る祭典である古代オリンピック（オリンピアの祭典）を廃止してしまった。

※ローマ帝国西部皇帝：このころは、ローマ帝国を東西に分け、それぞれの皇帝と副帝が治めていた。

世界三大宗教

キリスト教と、前6～前5世紀ごろに生まれた仏教、7世紀に生まれたイスラーム教を、世界三大宗教という。

世界中に信者をもつ三大宗教

オクタウィアヌス（▼31）がローマ皇帝として君臨していた1世紀のはじめに、**イエス・キリスト**（▼34）の教えをもとに生まれたキリスト教は、イエスの弟子たちによって広められ、やがてローマ帝国の国教になった。

キリスト教が誕生する前の、前6～前5世紀ごろにインドで生まれた仏教は、中国、日本など、アジアを中心に広まった。

7世紀ごろにアラビア半島を中心に広まったイスラーム教は、その後、ヨーロッパで、キリスト教と何度も対立することになる。

	イスラーム教	仏教	キリスト教
開祖	ムハンマド ▶290	ブッダ（ガウタマ・シッダールタ）	イエス・キリスト ▶34
発祥	メッカ・メディナ（現・サウジアラビア）	ブッダガヤなど（現・インド）	イエルサレムなど（現・イスラエル）
宗教人口	約12億人	約4億人	約20億人

2章
ヨーロッパ世界の成立
（新しい国の誕生とキリスト教）
主なできごと
4世紀
395年 ローマ帝国が東西に分裂する
5世紀
476年 ゲルマン人により西ローマ帝国滅亡
481年 フランク王国建国
6～7世紀
527年 東ローマ（ビザンツ）帝国の皇帝に、ユスティニアヌス帝（▶44）即位
590年 グレゴリウス1世（▶45）、ローマ教皇に就任
8世紀
711年 イスラーム勢力がイベリア半島に進出
732年 フランク王国のカール・マルテルがトゥール・ポワティエ間の戦いでイスラーム勢力を破る
756年 イベリア半島にイスラーム国家の後ウマイヤ朝ができる
768年 カール大帝（▶46）、フランク国王に即位
800年 カール大帝、ローマ教皇から「ローマ皇帝」の冠を受ける
9世紀
843年 フランク王国が3つに分裂
10世紀
955年 東フランク王オットー1世（▶49）が、レヒフェルトの戦いでマジャール人に勝利
962年 オットー1世、ローマ教皇から皇帝の冠を受け、神聖ローマ帝国成立
11世紀
1016年 ヴァイキング王のクヌート（▶52）がイングランドなどを支配。北海帝国を築く
1066年 ノルマンディー公ウィリアムがヘースティングズの戦いに勝利し、イングランドを支配。ウィリアム1世（▶53）としてノルマン朝を開く
1076年 教皇グレゴリウス7世と神聖ローマ皇帝ハインリヒ4世（▶50）との間で、叙任権闘争が始まる
1077年 ハインリヒ4世、カノッサで教皇グレゴリウス7世に謝罪する（カノッサの屈辱）

どんな時代だったの？

新しい国の誕生とキリスト教

ローマ帝国の分裂

地中海を囲む広大な範囲を支配したローマ帝国は、政治の乱れやゲルマン人の侵入などでおとろえ、395年に東西に分割された。東ローマ帝国（ビザンツ帝国）※は、6世紀半ばの**ユスティニアヌス帝**（▼44）の時代には、一時的に地中海全体まで勢力を広げた。

一方、西ローマ帝国は476年にゲルマン人に滅ぼされ、フランク王国ができた。フランク王国はローマ教会と結びつき、**カール大帝**（▼46）は、800年にローマ教皇から西ローマ皇帝として認められた。

マップ MAP カール大帝のフランク王国

西ローマ帝国の滅亡後、フランク王国が支配を拡大。東ローマはビザンツ帝国となった。

フランク王国分裂と新しい国の誕生

その後、フランク王国は東フランク王国、西フランク王国（のちのフランス）、イタリア王国に分割された。このうち、東フランク王国は**オットー1世**（▼49）の時代に**神聖ローマ帝国**（のちのドイツなど）となった。

このころ北海ではヴァイキングが盛んに活動し、**クヌート**（▼52）がイングランド、ノルウェーなどを支配。その後、1066年にノルマンディー公国の**ウィリアム**（▼53）がイングランドを征服し、これがイギリス王室のはじまりとなった。

マップ MAP フランク王国分裂後の国々

フランク王国は3つの国に分かれた。東フランクは神聖ローマ帝国へと変わった。

※ビザンツ帝国：東ローマ帝国は、首都ビザンティオンを中心としたギリシア文化の影響が強く、ビザンツ帝国ともよばれれる。

キリスト教の最高位・ローマ教皇

6世紀末、ローマの修道士**グレゴリウス1世**（▼45）は教会改革を行ってキリスト教の布教に努め、実質的な最初の**ローマ教皇**となった。

グレゴリウス1世の改革から約500年、11世紀ごろのローマ教会は、信者が増えたことや、各地の国王や貴族から土地をゆずり受けて広大な土地を手に入れたことなどによって、力をつけていた。それと同時に、聖職者に階層制度が生まれ、権力をもつ聖職者のなかには乱れた生活を送るものも現れた。

そこで、当時のローマ教皇グレゴリウス7世は、聖職者の任命権（叙任権）を自分の手に収め、聖職者たちの乱れた生活を正そうとした。

ところが、教会の聖職者を指名することで力を示そうとした神聖ローマ皇帝**ハインリヒ4世**（▼50）がこれに反対し、**叙任権闘争**が始まった。1077年、ふたりの対立はハインリヒ4世が教皇に謝罪する**「カノッサの屈辱」**という事件に発展。ローマ教皇は絶大な権力をヨーロッパ中に示すこととなった。

また、東西から旧ローマ帝国領土内に進出していたイスラーム勢力に対し、領土を取り返そうとするキリスト教徒による国土回復運動**「レコンキスタ」**が行われるようになった。

サン・ピエトロ大聖堂

バチカン市国にある、キリスト教・カトリック教会の総本山。

そのころの日本は… 飛鳥〜奈良〜平安時代

ローマ帝国が東西に分裂し、新しい国ができるころ、日本は飛鳥時代だった。

飛鳥時代には、朝鮮半島から仏教が伝わった。国内では**聖徳太子**が政治を行い、中国の隋や唐に対し、**遣隋使**や**遣唐使**が送られるなど活発な交流が行われ、中国の文化を取り入れていた。710年には都が奈良に移されて奈良時代となり、794年には京に移されて平安時代となった。

叙任権闘争やカノッサの屈辱が起こった11世紀ごろ、平安貴族による優雅な国風文化が花開いていた。

妻の尻にしかれた!?「不眠不休の皇帝」

すべては奥さんのおかげ？

395年に東西に分裂したローマ帝国。その**東ローマ帝国**の皇帝として527年から565年まで在位した**ユスティニアヌス帝**。

旧ローマ帝国の西半分を取りもどすべく軍を送り、異民族を撃退。一時的に地中海の支配を再現した。また、首都コンスタンティノープルを東西交易の大拠点に成長させ、聖ソフィア聖堂を再建、『**ローマ法大全**』※を作成するなど、数々の業績を残した。

精力的な仕事ぶりから「不眠不休の皇帝」とよばれたが、実は気が弱く、優柔不断だった。そんな男が活躍できたのは、妻の皇后**テオドラ**のおかげだった。ダンサーで娼婦だったテオドラは夫とは正反対で、冷静で決断力があり、度胸があった。内乱の際には、逃げようとする夫を「恥を忍んで生きるより、皇帝の証である紫衣を着たまま死にましょう！」と叱咤激励し、内乱を鎮圧させたという。

548年に頼りにしていたテオドラが他界すると、東ローマ帝国の政治は大混乱するのだった。

※**ローマ法大全**：古代ローマの法律をまとめたもの。

だれひとり飢えさせてはならない

貴族出身で高い位の役人だったグレゴリウス1世だったが、574年に地位を捨てて修道士となる。財産を貧しい人々の救済や修道院を建てる費用に当て、ローマ市民の信頼を集めた。「グレゴリウスを教皇に」という声が市民の間からあがるようになると、グレゴリウスは「本当は地味な修道士でいたいけど…」と本心をおさえ、**ローマ教皇**になった。

教皇となると、修道士と変わらぬ質素な暮らしをつづけながら一生懸命働いた。貧しい人々を救う制度を改革するだけでなく、貧しく飢えた人たちを日常的にまねいて食事を分けあたえた。また、修道士たちに、「飢えた人を見つけたら、食事をあたえよ」と命じ、「食事をあたえた」という報告が入るまで、自分も食事をひかえていたという。

布教にも力を入れ、数多くの異教徒をキリスト教に改宗させ、また、キリスト教の著作を数多く残すなど、中世のキリスト教と教会の基礎を築いた大教皇だった。

「ヨーロッパの父」となった国王
カール大帝
フランク国王にして西ローマ帝国皇帝
出身地：フランク王国（現在のフランスなど）
生没年：742～814年
特　技：水泳・馬術・狩猟

長身で運動神経抜群のイケメンキング

フランク国王**ピピン3世**の息子**カール**。768年から814年までフランク王国を治めた。

身長は195センチ。馬術・水泳・狩猟で鍛えた肉体は強靭で、動きは俊敏。微笑みをたたえた表情は、まさに王者の風格だったという。

在位中カールは、遠征をくり返して領土の拡大をはかり、制圧した土地では、そこに暮らす人々をキリスト教に改宗させていった。そして、フランク王国を東ローマ帝国（ビザンツ帝国）に匹敵する大国へと成長させ、西ヨーロッパの広大な地域を統一した。

皇帝もやりませんか？

しばらくすると、ローマ教会から「西ローマ皇帝にならないか」と誘いを受ける。「確かに、広大なフランク王国を治めるにはローマ教会の協力が必要だな…」と考えたカール。800年のクリスマスの日、ローマ教皇の元へむかうと、皇帝の冠をさずけられる。ここに、フランク国王もかねた西ローマ皇帝が誕生した（**カールの戴冠**）。

カールは交易や銀貨の制定など経済政策に力を入れる一方で、文化の振興にも積極的だった。周辺の国々から有名な学者をまねき、ローマ帝国で使われていたラテン語と古典文化の研究に当たらせた。これによりフランク王国で起こった古代の文化をよみがえらせる動きは、カロリング・ルネッサンスとよばれるようになった。

ひみつのエピソード オレの名は…

広大なフランク王国を支配し、「ヨーロッパの父」ともいわれるカール大帝は、各国の言葉でその名を知られている。

フランス語：シャルルマーニュ（シャルル大帝）
ドイツ語：カール大帝
スペイン語：カルロス大帝
英語：チャールズ大帝

中世ヨーロッパの暮らし

8世紀ごろの中世ヨーロッパには、東西にふたつの大きな国があり、人々はそれぞれの国でことなる暮らしを送っていた。

東 貿易で栄えたビザンツ帝国

ヨーロッパとアジアの中継地点に位置するビザンツ帝国。都市ではマーケットが開かれ、世界中から集められた食料や貴金属、布などが売られていた。

服装

支配者も庶民も同じような服装。ダルマティッカという服を着て、男性はバリウムという布をはおっていた。

男性　女性

西 封建制のフランク王国

封建制の仕組みでは、国王に仕える貴族や騎士に領地があたえられ、その領地で農民が農業を行った。貴族や騎士はぜいたくな暮らしを送り、農民は貧しかった。

服装

騎士はテュニックという長い上着の上によろい、農民はイヌやヤギなどの毛皮でつくった服を着ていた。

農民　騎士

ピンチはチャンス！共通の敵をつくって団結

カール大帝（▶46）の死後しばらくすると、フランク王国は西フランク、イタリア、東フランクの3つに分裂した。その後、東フランク王国を治めた国王**ハインリヒ1世**の息子が**オットー1世**だ。

東フランク王国は5つの部族が寄せ集まってできていた。936年にオットー1世が王位を継承すると、王を支持しないほかの部族は不満から反乱を起こした。

対応に苦しむオットー1世を救ったのは意外にも異民族マジャール人の東方からの襲来だった。オットー1世が異民族の侵略を前に団結をよびかけると5つの部族は結束し、955年の**レヒフェルトの戦い**でマジャールに勝利！　オットー1世はついに東フランク国王として認められた。

キリスト教を大切にしていたオットー1世は北イタリアまで支配を広げると、962年、ローマ教皇からローマ皇帝の帝冠をさずけられる。ここに、教会を味方にした**神聖ローマ帝国**が誕生。その初代皇帝となったのだった。

雪辱をはたした神聖ローマ皇帝
ハインリヒ4世
神聖ローマ帝国皇帝
出身地：神聖ローマ帝国
生没年：1050〜1106年
性　格：わがままだが忍耐強い

ローマ教皇よりオレが上！

ドイツ国王にして神聖ローマ皇帝。父が亡くなった6歳のころから皇帝の座についた。

父の遺志を継いで皇帝の権力拡大に成功すると、宗教世界でも権力を得ようと考えた**ハインリヒ4世**。教会関係者の任命権（叙任権）はローマ教皇にあることを承知の上で、あえて神聖ローマ皇帝の名において教会の「司教」を任命した。

ローマ教皇**グレゴリウス7世**が、「任命するのはわたしの仕事だ」と激怒すると、ハインリヒ4世はキリスト教関係者や有力な諸侯※を集めて、「神聖ローマ皇帝の名において教皇を首にする！」と宣告した（**叙任権闘争**）。

カノッサ城外で3日間のゴメンナサイ

これを受けたグレゴリウス7世が「ハインリヒ4世の破門」を宣言すると、宗教勢力や諸侯は動揺。ハインリヒ4世のもとを去って教皇に味方し、諸侯たちは「皇帝が破門を解かれない限り皇帝を首にする」との決定を出した。

破門を解いてもらうしかないと判断したハインリヒ4世。1077年末、教皇が滞在中のカノッサ城を訪れて城門の前で3日間、雪が積もるなか、一睡もせずに祈りつづけた。この皇帝の威信をかなぐり捨てた謝罪により、教皇から許され、何とか王座に留まった。世界史に残る「**カノッサの屈辱**」という大事件だった。

ローマからたたき出してやる！

ただ、実は心から謝った訳ではなかった。ハインリヒ4世はこのあと、グレゴリウス7世と再び対立。「破門」を宣告されると、今度は軍隊を率いてイタリアに入り、別の人物を教皇に立ててグレゴリウス7世をローマから追放。見事リベンジをはたしたのだった。

晩年、息子に王位をうばわれるもすぐに奪還。その直後に他界し、リベンジつづきの人生を終えた。

※**諸侯**：皇帝や王から地域の支配を許された貴族。

ヨーロッパ最強の海賊王

クヌート

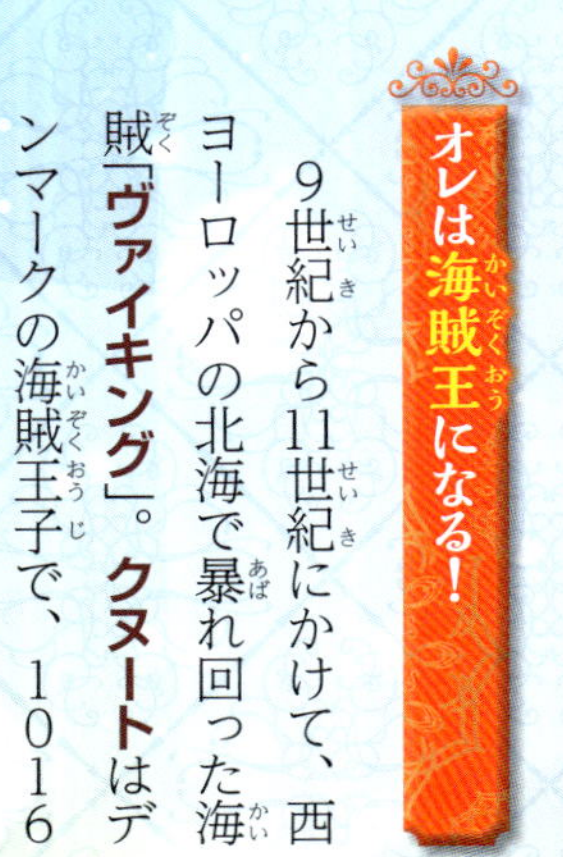

3つの国の王となったヴァイキング

出身地：デンマーク
生没年：995〜1035年
性　格：誠実

オレは海賊王になる！

9世紀から11世紀にかけて、西ヨーロッパの北海で暴れ回った海賊「**ヴァイキング**」。**クヌート**はデンマークの海賊王子で、1016年、現在のイギリスを征服しイングランド王となると、前イングランド王の未亡人エマと結婚するなど、平和的に治めた。

クヌートはその後、デンマーク王、ノルウェー王にもなり、3か国にまたがる**北海帝国**が誕生。ヨーロッパ最強の海賊王になった。ヴァイキングどうしの対立が収まった北海は、ヴァイキングの交易船が平和に往来する海となった。

1035年にクヌートは亡くなる。北海帝国は息子たちが受け継いだが、あまりに広大すぎるため、まもなく分裂した。

MAP クヌートが支配した地域

ユトランド半島（デンマーク）、グレートブリテン島（イングランド）、スカンジナビア半島（ノルウェー）にまたがる広大な地域を支配した。

イギリス王室の元祖

ウィリアム1世

イングランド・ノルマン朝の初代国王

出身地：フランス・ノルマンディー半島
生没年：1027ころ〜1087年
性　格：冷徹

イングランドはオレが頂く

フランス北西部にあるノルマンディー公国を治めていた**ウィリアム**（のちの**ウィリアム1世**）。冷徹な政治家であり、すぐれた軍人でもあった彼は、公国を強くしたいと考えていた。同時に、ウィリアムはドーバー海峡を隔てたイングランドに熱い視線を向けていた。当時イングランドは動乱の最中で、攻め取るのはたやすいように思えたのだ。

1066年、ウィリアムは海を渡ってイングランドに進攻。**ヘースティングズの戦い**でイングランドの支配者を破ると、**ウィリアム1世**として即位してノルマン朝を開き、イングランド王となった（**ノルマンの征服**）。

ウィリアム1世は反対勢力の反乱を抑え、数年で全イングランドの征服を完了する。フランスから※**封建制**を取り入れて治め始めた。これによりイングランドの封建国家化が進んでいくことになる。

このウィリアム1世が開いた王室は脈々と受け継がれ、現在のイギリス王室へとつづいている。

※**封建制**：王が貴族に領地を支配させ、代わりに貢がせる仕組み。

ヴァイキングの侵略

中世ヨーロッパでは、ヴァイキングとよばれる海賊が海を渡っていろいろな地域へ進出し、人々に恐れられていた。

海の民ヴァイキング

ヴァイキングとは、9～11世紀にかけて西ヨーロッパやロシアに移動・建国した、スカンジナビア半島周辺に暮らしていたノルマン人のこと。スカンジナビア半島は入り江が多く、ヴァイキングは「入り江の人々」という意味をもつといわれている。

ヴァイキングは高度な航海技術をもっていて、西ヨーロッパから地中海にかけての広い地域で略奪を行っただけでなく、商人はビザンツ帝国や西アジアと交易を行った。また、大西洋を渡り、北アメリカ大陸にも到達していたことがわかっている。

服装

青銅のヘルメット
テュニック
毛皮
斧
丸い盾

MAP ヴァイキングの侵略

ヴァイキングのロングシップ

底が浅く細長い船を大勢であやつり、海だけでなく、川にも入ることができた。

食べ放題の「バイキング」

1950年代にヨーロッパを訪れた日本のホテルの支配人が、北ヨーロッパ風の食べ放題の食事を目にし、日本に伝えた。そのときに「北ヨーロッパ＝ヴァイキング」というイメージから、「バイキング」と名づけた。

3章 十字軍と百年戦争

主なできごと

世紀	年	できごと
11世紀	1095年	ローマ教皇が、**十字軍**による、イスラーム勢力からの聖地**イェルサレム**の奪還をよびかける
	1096年	第１回十字軍が出発
12世紀	1187年	イスラーム指導者**サラディン**（▶292）がイェルサレムを奪還
	1189年	**第３回十字軍**出発 イングランド王**リチャード１世**（▶58）、神聖ローマ皇帝**フリードリヒ１世**（▶60）、フランス王**フィリップ２世**（▶62）が参加
	1192年	リチャード１世とサラディンが和約を結ぶ
	1198年	ローマ教皇**インノケンティウス３世**（▶66）が即位
13世紀	1215年	イングランドで**ジョン王**（▶63）が**「大憲章（マグナ・カルタ）」**を承認
14世紀	1303年	教皇ボニファティウス８世が、アナーニで**フィリップ４世**（▶68）に監禁される**（アナーニ事件）**
	1309年	フィリップ４世、教皇クレメンス５世を南フランスのアヴィニョンに移転させる**（教皇のバビロン捕囚）**
	1339年	イングランドとフランスの間で**百年戦争**が始まる
	1356年	百年戦争の**ポワティエの戦い**、**エドワード黒太子**（▶69）の活躍によりイングランド軍勝利
15世紀	1429年	百年戦争で、**ジャンヌ・ダルク**（▶70）がオルレアンをイングランド軍から解放する
	1431年	ジャンヌ・ダルク、処刑される
	1453年	百年戦争終結 **コンスタンティヌス11世**（▶75）、**オスマン帝国**に敗れ**ビザンツ帝国**滅亡

十字軍と百年戦争

イスラームの侵入と十字軍

11世紀、イスラーム勢力のセルジューク朝にたびたび侵入された**ビザンツ帝国**(東ローマ帝国)は、**ローマ教皇**にたすけを求めた。ローマ教皇は、キリスト教の聖地**イェルサレム**を取りもどすために騎士を集め、**十字軍**の遠征を行った。

十字軍遠征は1096年から約200年の間に7回行われた。とくに第3回十字軍には、イングランド王**リチャード1世**(▶58)、フランス王**フィリップ2世**(▶62)、神聖ローマ皇帝**フリードリヒ1世**(▶60)が参加し、激しい戦いをくり広げた。

MAP 第3回十字軍
(1189年)

リチャード1世
フィリップ2世
フリードリヒ1世
神聖ローマ帝国
フランス
イングランド
コンスタンティノープル
ローマ
セルジューク朝
ビザンツ帝国
アッコン
イェルサレム
アイユーブ朝
サラディン

1189年に派遣され、リチャード1世ら各国の王が参加。イスラームの指導者**サラディン**(▶292)と戦った。

十字軍によって教皇の権威は高まり、**インノケンティウス3世**(▶66)のころに絶頂期をむかえる。

しかし、十字軍は失敗に終わり、その後は、フランス国王**フィリップ4世**(▶68)がローマ教皇を捕らえるなど、教皇よりも各国の国王が力をつけるようなった。

ビザンツ帝国の滅亡

イスラーム勢力からたびたび侵入を受けていた**ビザンツ帝国**。十字軍後も侵略を受けつづけ、**コンスタンティヌス11世**(▶75)が治めていた1453年、ついに**オスマン帝国**によって滅ぼされた。

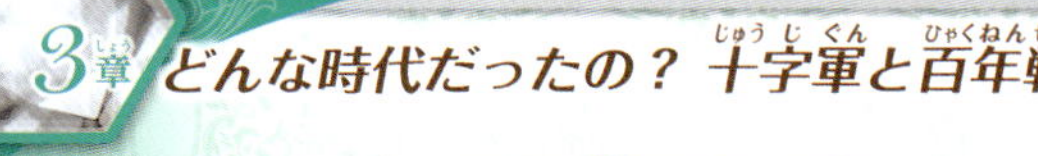

百年戦争

第3回十字軍に参加したイングランド王**リチャード1世**とフランス王**フィリップ2世**の対立以前から、イングランドとフランスは、大陸内の領土をめぐり、しばしば対立していた。そのフランスとイングランドの間で1339年から始まったのが**百年戦争**だ。

戦争中、両国は何度も衝突をくり返した。はじめは、イングランドの**エドワード黒太子**(▶69)が**ポワティエの戦い**で勝利するなど、イングランドが優勢で進み、フランス南西部をうばった。フランスは**黒死病（ペスト）**の流行もあり国土が荒廃していった。そこに、神の声に導かれた少女**ジャンヌ・ダルク**(▶70)が現れ、形勢を逆転。フランスは反撃を開始し、最終的にはカレーを除くフランス国土からイングランド軍を追い出すことに成功。1453年、百年戦争はフランスの勝利に終わった。

戦後、フランスもイングランドも、国王を中心とした国となった。

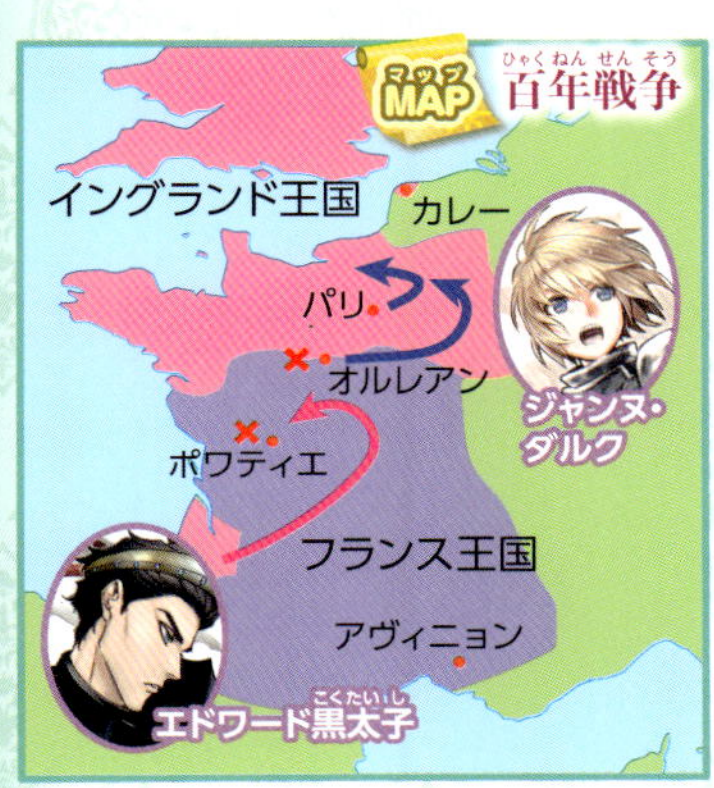

そのころの日本は… 鎌倉～室町時代

ヨーロッパで十字軍がさかんに行われていたころ、日本では、**源頼朝**による、初の武士による政権である鎌倉幕府が誕生した。しかし、鎌倉幕府は中国の元と2度にわたる元寇で戦ったことなどにより力がおとろえた。つづいて**足利尊氏**によってつくられた室町幕府も、1467年に始まった**応仁の乱**をきっかけに力を失い、その後、数多くの戦国大名が争う戦国時代へと突入する。

黒死病（ペスト）とは？

14世紀中ごろから後期にかけて、全ヨーロッパで流行したペスト菌による感染症。当時のヨーロッパ人口のおよそ3分の1が黒死病によって死亡したといわれている。

魔女裁判

中世ヨーロッパでは、ローマ教会と異なる考えをもつ「異端」者を魔女として厳しく取り締まった。

暴れん坊のザ・ライオンハート
リチャード1世
イングランド国王
出身地：イングランド王国
生没年：1157〜1199年
特　技：戦い

若いころから荒くれ者

イングランド国王**ヘンリ2世**の子、**リチャード1世**。当時イングランドは、海をまたいでフランスにも領土をもっていた。フランス南西部で育ち、フランス語しか話せず、イングランドには数か月しかいたことがなかったという。

国王としての業績はほとんどなく、父親や兄弟とも仲が悪くケンカばかりしていた。ただ、戦うことにかけてはすぐれていた。

強き敵は我が友

そんなリチャード1世を有名にしたのは、神聖ローマ皇帝**フリードリヒ1世**(▶60)、フランス王**フィリップ2世**(▶62)と共に参加した1189年の**第3回十字軍**だ。フィリップ2世との仲たがいなどがあり「イスラーム教徒から聖地イェルサレムを奪還する」という目的は達成できなかったが、勇猛果敢な戦いぶりから、その名はイスラーム教徒の間に鳴り響いた。

また、強敵には同じ武人として敬意を払い、敵将**サラディン**(▶292)を称賛するなど、紳士的な振る舞いから、「中世騎士道精神の鑑」とまでいわれるようになった。

でもやっぱり性は暴れん坊

その勇敢さから「獅子心王（ザ・ライオンハート）」という異名ももつが、気性も激しかった。十字軍から帰国後、関係が悪化していたフィリップ2世がイングランド領のノルマンディー公国※を攻めたとの報告を宮殿内で受けると、「フランスと勝負を決めるまで敵に背中は見せない」と宣言。宮殿の出口から出るのはフランスに背をむけることになると言い、宮殿の南の壁を破壊して外に出たという伝説が残っている。

戦場に生き、戦場で死ぬ

その後はフィリップ2世を相手に戦い、最後は流れ矢が肩に刺さり負傷し、命を落とした。

※**ノルマンディー公国**：フランス北西部にあった、イングランド王国支配下の公国。

フリードリヒ1世
神聖ローマ帝国皇帝
出身地：神聖ローマ帝国
（現在のドイツなど）
生没年：1122〜1190年
趣　味：沐浴

トレードマークは赤いヒゲ

ドイツの地方貴族出身。1152年にドイツ国王に選ばれると、領土の拡大をすすめた。勇敢で知性があり、騎士道精神にあふれた**フリードリヒ1世**は、その長く赤いヒゲから、「赤ひげ王（バルバロッサ）」とよばれていた。

イタリアがどうしても欲しい

国内が安定すると、イタリアを支配すべく動き始める。イタリア北部の港をおさえれば、地中海貿易による利益が見込めるからだ。計画を練っている最中、ローマ教皇から「ローマを支配している宗教改革者を討伐してほしい」との依頼が入る。フリードリヒ1世は直ちにイタリア遠征を行い、ローマを解放。教皇に認められ、神聖ローマ帝国皇帝に即位した。自信を深めたフリードリヒ1世は、本格的にイタリア遠征を開始する。しかし、イタリア諸都市は**ロンバルディア同盟**を結成するなどして強く抵抗。結局、5回の遠征はすべて失敗に終わった。

それでもあきらめきれず、1183年、都市同盟との間にどうにか和約を結び、イタリアで支配力を確保することに成功した。

伝説を生んだ王の死

1189年、フリードリヒ1世は**第3回十字軍**の総司令官として遠征にむかう。しかし、本格的な戦いを前に、何と川でおぼれ死んでしまったのだ。偉大なる王の死をドイツの人々は信じられず、「王は死んだのではなく、アルプス山中で赤ひげをのばしつつねむっている。そしていつの日か目覚めて再び王座につく」とまことしやかにささやかれたという。

ひみつのエピソード 王の死のナゾ

おぼれ死んだ理由には、小川で沐浴中に脳卒中の発作におそわれた、小川を渡るときに王冠が重すぎて落馬して橋から落ちた、など様々な説があり、これもまた英雄伝説のひとつとなっている。

イングランド王をかき乱してやる！

フランス王国**ルイ7世**の息子**フィリップ2世**は、父のあとを継ぎ、フランス王となる。当時、フランス南西部がイングランドの領地になるなど、フランスは力が弱かった。そのため、王権の強化と領地の拡大をめざした。

1189年、イングランド王**リチャード1世**(▶58)らとともに**第3回十字軍**に参加するが、途中で対立。フィリップ2世は早々に離脱し、リチャード1世率いる軍を戦いにむかわせる。すると、その間にリチャード1世の弟**ジョン王**(▶63)に近づき、「イングランド王になっちゃいなよ」とそそのかした。実は、ジョン王に実力がないのを見抜き、イングランドを混乱させようと企てたのだった。

十字軍からもどったリチャード1世と戦うフィリップ2世。リチャード1世が死亡し、狙い通りにジョン王がイングランド王になると、領地を次々とうばい拡げていった。フィリップ2世は人々からたたえられ、いつしか「尊厳王」とよばれるようになった。

失政、失政、また失政

イングランド王**ヘンリ2世**の4人の息子の末の子**ジョン王**。父が息子たちに領地を配分したとき、何もあたえられず、「欠地王」というあだ名の由来となった。

いがみ合い憎み合う家族の姿を見て育ったジョン王。兄の**リチャード1世**(▼58)が**第3回十字軍**に参加して不在にしていたときに、フランス王**フィリップ2世**(▼62)にそそのかされ、兄から王座をうばおうとしたことさえあった。

兄リチャードの死を受けてイングランド王となるが、失政をくり返すジョン「欠地王」。大陸の領土の大半を失い、さらにローマ教皇と対立して破門され、屈服するという無様な姿も見せた。

王としての資質を欠くにもかかわらず重税を課すジョン王に、貴族が激しく怒り反乱を起こすと、ロンドン市民も同調。追い込まれたジョン王は王権の制限を記した**「大憲章(マグナ・カルタ)」**をしぶしぶ承認した。だが、ジョン王は承認直後にこれを破棄。最後は、反王政派と戦うも、病で急死した。

コラム

騎士団と騎士道

中世のヨーロッパでは、騎士団とよばれる騎士の集団がつくられ、騎士道という考えのもと行動していた。

十字軍のためにつくられた騎士団

イスラーム教徒にうばわれたキリスト教の聖地イェルサレムを取りもどすため、1096～1291年の間に西ヨーロッパの国々によって7回行われた「十字軍」。

十字軍の遠征の際、教会によって騎士が集められ、「騎士団」（騎士修道会）がつくられた。有名なものにテンプル騎士団、ドイツ騎士団などがある。騎士の間では、騎士としてどうあるべきかという「騎士道」の精神が大切にされた。はじめは戦いのルールなどだったものが、やがて、女性を大切にするなど、理想へと変わっていった。

騎士の叙任式

騎士になるための儀式。キリスト教の倫理や道徳にしたがい、教会とキリスト教のためにつくすことを聖書に誓う。

叙任式は、騎士のリーダーや王、司祭などによって行われた。当初は手で首を強くたたいていたが、13世紀以降、剣を首に当てるかたちになった。

十字軍の騎士

分厚い布の服の上に、頭までおおうくさりかたびらを身につけていた。敵と区別するために、紋章がついた外とうを着ることもあった。

テンプル騎士団

騎士道精神

主人やキリスト教への忠誠はもちろん、弱い者を守り、女性を大切にすることが正しいとされた。

馬上槍試合

戦いが少なくなった13世紀以降、騎士の見せ場は馬上槍試合になった。王や貴族、貴婦人の前で戦い、勇姿を見せてアピールした。

史上最強のローマ教皇
インノケンティウス3世
第176代ローマ教皇
出身地：ローマ
生没年：1160ころ～1216年
特　技：破門

すい星のごとく現れた若き教皇

ローマの貴族の家に生まれたロタリオ・ディ・コンティ（のちのインノケンティウス3世）は、パリとボローニャの大学で神学と法学を学び教皇庁に入ると、地位を高める。そして、37歳という異例の若さで**ローマ教皇**に選出され、**インノケンティウス3世**となった。

破門、破門、また破門

この若き教皇に期待されたのは、教皇の政治権力の回復と、異端（ローマ教会の教えとは異なる教えを説くキリスト教の宗派）の抑え込みだった。

まずはイスラームに占領されていたキリスト教の聖地イェルサレムの奪還をめざし、**第4回十字軍**を派遣。しかし、その途中、十字軍がビザンツ帝国で略奪を行ったため、インノケンティウスは激怒し、全員をキリスト教社会からの追放を意味する**破門**にした。

十字軍は失敗に終わったが、力を見せつけるインノケンティウス。神聖ローマ皇帝の選出に干渉すると、反抗した当時の皇帝**オットー4世**を破門、**フリードリヒ2世**を皇帝にした。

このほかにも離婚・再婚を試みたフランス王**フィリップ2世**（▼62）に破門宣告、イングランドの大司教任命の際に逆らったイングランド王**ジョン王**（▼63）も破門し屈服させるなど、教皇権力の大きさを世に示して見せた。

オレは光輝く太陽だ

1215年の**第4回ラテラン公会議**では「教皇は太陽、皇帝は月」と演説。中世における教皇権の絶頂期を築いたのだった。

ひみつのエピソード 少年十字軍

十字軍推奨の動きのなか、フランスの少年エティエンヌが聖地回復を狂信的に叫び、少年少女を中心とした十字軍が立ち上がった。しかし、聖地をめざすもお金が足りず、海を渡ろうとした際にだまされ奴隷として売られるなど、悲劇的な終わりをむかえた。

ローマ教皇? は? 国王の方が上だろ!

フランス王**フィリップ3世**の息子として生まれた**フィリップ4世**は類まれなるイケメンであり、「ル・ベル(美王)」とよばれた。

王位につくと、イングランドとの戦いでガタガタになっていた財政再建のために、宗教関係者にも税金を課すことを決定。また、国王こそがナンバーワンであり、外部から干渉されない国にしようとした。そのため「教皇の権力は国王の権力より勝る」と主張するローマ教皇と激しく対立した。

1302年、フィリップ4世は教皇**ボニファティウス8世**から破門宣告される。すると王は聖職者・貴族・市民の支持を得て、翌年、教皇を捕らえる。教皇ボニファティウス8世は怒りのあまり死亡。これを**アナーニ事件**という。その後もローマ教皇への圧力を強め、次の教皇**クレメンス5世**を強制的にフランスのアヴィニヨンに移転させ、監視下に置いてしまった(**教皇のバビロン捕囚**)。

教皇の衰退が明らかになったときだった。

黒い甲冑をまとった名将

エドワード黒太子

イングランド王太子

出身地：イングランド
生没年：1330～1376年
性　格：勇猛果敢

戦い中も礼を忘れず

イングランド王**エドワード3世**の息子。**エドワード4世**をはじめ、生誕地にちなんだ「ウッドストックのエドワード」、「プリンス・オブ・ウェールズ（皇太子）」など、複数のよび名がある。

イングランドとフランスが戦った**百年戦争**の前半に指揮官を務めた。「黒太子」のあだ名は、クレシーの戦いでフランス軍を撃破したとき、黒い甲冑を着ていたことに由来するといわれている。

エドワード黒太子は戦いの名手だった。1356年のポワティエの戦いでは、数倍ともいわれるフランス軍を破り、国王の**ジャン2世**を捕虜とする。その際、ジャン2世に対して、騎士らしく礼をもって接し、名声を高めた。

その後フランスの圧迫に悩まされるカスティリャ王国を支援するため、イベリア半島に遠征。3万の大軍を率いてピレネー山脈を越え、フランス軍と戦い勝利した。

病を理由に祖国にもどると、5年後に死去。中世ヨーロッパを代表する騎士と評価されている。

神の声にしたがい戦った奇跡の聖女
ジャンヌ・ダルク
オルレアンの少女
出身地：フランス
生没年：1412ころ～1431年
特　技：神の声を聞く

神の声が聞こえるの

イングランドとの「百年戦争」の後半期、フランスの農民の娘として生まれた**ジャンヌ・ダルク**。ごく普通の少女だったが、13歳のころから神の声が聞こえるようになり、「フランスのために働き、王をたすけよ」と告げられる。17歳のとき、ジャンヌは軍へ参加を志願。男装と馬をあたえられた。

あなたを王にするのがわたしの使命

当時フランスは、イングランドに多くの領地をうばわれ、王位は不安定だった。ジャンヌはのがれていた王太子※**シャルル**の元を訪ねると、「神のおつげにしたがい、あなたを王にしてみせます」と誓う。そしてイングランド軍に包囲されたオルレアン城の解放作戦に司令官として参加した。

甲冑を身にまとい馬に乗ると、キリストと天使とユリの花が描かれたお気に入りの軍旗を振り、兵士たちを奮い立たせるジャンヌ。肩を射抜かれても戦い、見事に勝利し、ジャンヌは聖女として知られるようになった。

ジャンヌは王太子とともにノートル・ダム大聖堂へむかうと、戴冠式が行われ、ここにフランス王**シャルル7世**が誕生した。王太子の前にひざまずくジャンヌ。神の使命をはたしたのだった。

戦いをやめてはいけないわ

しかし、シャルル7世が王となると歯車が狂い始める。反対勢力との和解を望むシャルル7世と、神の言葉にしたがい、戦いをつづけるべきと主張するジャンヌ。ジャンヌは孤立していった。

19歳になったジャンヌは戦いの最中に、反対派に捕らえられてしまう。身代金を払えば釈放されるところを、知らぬふりをつづけるシャルル7世。ジャンヌはイングランドに連行され、異端裁判の末、最後は処刑された。奇跡の少女は伝説となったのだった。

※王太子：王位継承の第一順位の者。皇太子。

シャルル7世戴冠後も戦いつづけたジャンヌだが、イングランド側につかまってしまう
そして、ジャンヌが「魔女」かどうかを調べる、異端裁判が行われた。
しかし、取り調べは公平ではなく、はじめから異端者になるよう仕組まれていた…
ジャンヌ、お前はやはり異端者だ、火あぶりだ
ひきょう者!!
わたしはただ神にしたがい、仕えるのみです
処刑当日—
わたしに十字架を
イエスさま、愛しています…
今、イエスさまと言ったような…
かまわん!早く火をつけてしまえ
ジャンヌに火をつけると…
ゴッ
白いハトが飛び立ったという
何ということをしてしまったんだ…
彼女は聖女だった…!
くらくら…
25年後、裁判の判決は取り消され、後世「聖ジャンヌ・ダルク」とされた

アニェス・ソレル

ダイヤモンドを初めて身に着けた女性

フランス王シャルル7世の愛人

出身地：フランス
生没年：1422ころ〜1450年
特　技：おねだり

美しの貴婦人

奇跡の聖女**ジャンヌ・ダルク**(▼70)によって戴冠されたフランス王**シャルル7世**。そのシャルル7世に見初められ、フランス初の公式寵姫(愛人)となったのが**アニェス・ソレル**だった。

22歳のころ、その美貌からシャルルに気に入られたアニェス。ぞっこんだったシャルル7世は、アニェスに宮殿や宝石をおくりつづけた。それまで男性の装飾品だったダイヤモンドもおくられ、アニェスはダイヤモンドを初めて身に着けた女性といわれている。

宮殿で贅をつくした生活を送り、調子に乗ったアニェスは、まるで自分が王妃のようにふるまい、政治にも口を出すようになる。イングランドとの**百年戦争**を終わらせる役割をはたしたともいわれているが、その態度や行動は、宮廷内だけでなく、民衆からもきらわれるようになった。

最期は水銀によると思われる中毒でこの世を去る。反アニェス派による毒殺だったとのうわさも残っている。

残虐なドラゴンの息子

ハンガリーのドラゴン騎士団に所属する父**ヴラド2世**のもとに生まれた**ヴラド3世**。ルーマニア語で「ドラゴンの息子」を意味する「ドラキュラ公」とよばれていた。

オスマン帝国などの強大国に囲まれた弱小国ワラキア公国を強国にするべく、厳しい統治を行った。支配力を高めるためには手段を選ばず、国内の有力貴族をパーティーに招待すると、酒を飲ませて油断させ、皆殺しにしたという。

また、オスマン帝国と戦った際は、夜に真黒な服を身にまとい敵の野営地に忍び込むと、悪魔のような奇声を上げながら襲撃した。

そんなヴラド3世だが、敵兵に変装していたところ、勘違いした味方に殺されてしまうのだった。

ひみつのエピソード　もうひとつのあだ名

「ドラキュラ公」とよばれたヴラド３世にはもうひとつのあだ名があった。その名は「ヴラド・ツェペシュ（串刺し公）」。敵、身内問わず、串刺し処刑にしたことからそうよばれ、恐れられていた。吸血鬼ドラキュラも、そんな血生臭い一生を送ったヴラド３世からイメージされたのかもしれない。

国と共に死んだ最後の皇帝

コンスタンティヌス11世

神よ、帝国を滅亡させたこのわたしを許すな

最後のビザンツ皇帝
出身地：ビザンツ帝国
生没年：1404ころ〜1453年
性格：責任感が強い

ビザンツ帝国（東ローマ帝国）皇帝**マヌエル2世**の第4子。1448年、兄の皇帝**ヨハネス**がこの世を去ると、**コンスタンティヌス11世**として帝位についた。

その使命はただひとつ、東からせまるオスマン帝国から国を守ること。支援を得るべく、ローマ教会に自分たちの東方正教会※を統合させようとするが、国民はこれに反発。試みは失敗に終わった。

1453年、首都コンスタンティノープルがオスマン帝国軍に包囲される。5月29日、敵が都城内に侵入してくると、コンスタンティヌス11世は覚悟を決めた。「神よ、帝国を滅亡させたわたしを許すな。この都と共にわたしは戦って死ぬ！」と言うと皇帝の衣服を脱ぎすて、自ら剣を手に戦い、乱戦のなかで戦死した。

コンスタンティノープルの遺跡

コンスタンティノープルは現在、トルコ最大の都市イスタンブルとなっている。市内の城壁には、今もオスマン帝国軍の大砲で破壊されたあとが残る。

※**東方正教会**：キリスト教の三大教派のひとつ。ビザンツ帝国で生まれ、ローマ教会から分離した。

名門・ハプスブルク家の誕生

13世紀半ば、神聖ローマ帝国で力をにぎったハプスブルク家は、ヨーロッパを代表する名門となった。

結婚戦略で権力をにぎるのだ！

13世紀半ばの神聖ローマ帝国は王権が不安定だった。

そんななか、ハプスブルク家出身の**ルドルフ1世**は、1273年に神聖ローマ皇帝になると、ハプスブルク家に権力をもたらした。その後、**マクシミリアン1世**のころに、**「戦いは他国にさせよ。オーストリアは結婚せよ！」**を家訓とし、各国の王室と政略結婚をさせることで、ヨーロッパ中に支配を広めた。ハプスブルク家は1918年にオーストリア・ハンガリー帝国がなくなるまでの約650年間、ヨーロッパを代表する名門として、君臨するのだった。

ルドルフ1世
（1218〜1291年）

マクシミリアン1世
（1459〜1519年）

結婚戦略によって各国で活躍したハプスブルク家の主な人物

マリア・テレジア
▶156
オーストリア大公、
マリ・アントワネットの母

ドン・ファン・デ・アウストリア
▶130
スペインの連合艦隊
の指揮官

フェリペ2世
▶128
スペイン王国
黄金期の王

エリザベート
▶204
ハプスブルク家に嫁いだ、
ハプスブルク家の皇后

マリー・ルイーズ
▶183
フランス皇帝
ナポレオンの皇后

マリ・アントワネット
▶172
フランス王ルイ
16世の王妃

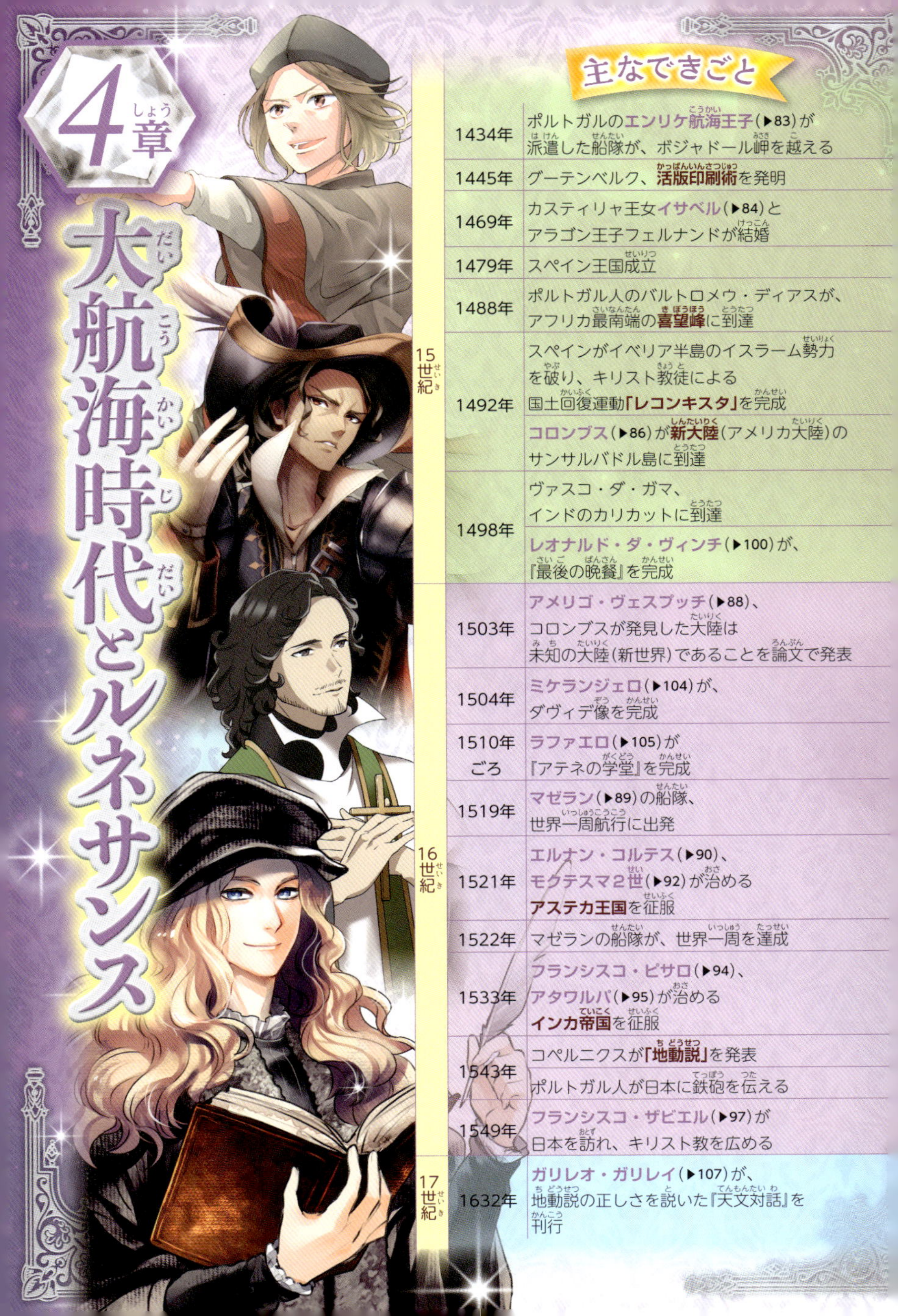

4章 大航海時代とルネサンス

主なできごと

世紀	年	できごと
15世紀	1434年	ポルトガルのエンリケ航海王子(▶83)が派遣した船隊が、ボジャドール岬を越える
	1445年	グーテンベルク、活版印刷術を発明
	1469年	カスティリャ王女イサベル(▶84)とアラゴン王子フェルナンドが結婚
	1479年	スペイン王国成立
	1488年	ポルトガル人のバルトロメウ・ディアスが、アフリカ最南端の喜望峰に到達
	1492年	スペインがイベリア半島のイスラーム勢力を破り、キリスト教徒による国土回復運動「レコンキスタ」を完成
		コロンブス(▶86)が新大陸(アメリカ大陸)のサンサルバドル島に到達
	1498年	ヴァスコ・ダ・ガマ、インドのカリカットに到達
		レオナルド・ダ・ヴィンチ(▶100)が、『最後の晩餐』を完成
16世紀	1503年	アメリゴ・ヴェスプッチ(▶88)、コロンブスが発見した大陸は未知の大陸(新世界)であることを論文で発表
	1504年	ミケランジェロ(▶104)が、ダヴィデ像を完成
	1510年ごろ	ラファエロ(▶105)が『アテネの学堂』を完成
	1519年	マゼラン(▶89)の船隊、世界一周航行に出発
	1521年	エルナン・コルテス(▶90)、モクテスマ2世(▶92)が治めるアステカ王国を征服
	1522年	マゼランの船隊が、世界一周を達成
	1533年	フランシスコ・ピサロ(▶94)、アタワルパ(▶95)が治めるインカ帝国を征服
	1543年	コペルニクスが「地動説」を発表
		ポルトガル人が日本に鉄砲を伝える
	1549年	フランシスコ・ザビエル(▶97)が日本を訪れ、キリスト教を広める
17世紀	1632年	ガリレオ・ガリレイ(▶107)が、地動説の正しさを説いた『天文対話』を刊行

大航海時代とルネサンス

大航海時代のスペインとポルトガル

15世紀のヨーロッパでは、肉食が一般化していて、アジアからもたらされる、肉のくさみを取るための香辛料が貴重で高価なものだった。また、中国を訪れた**マルコ・ポーロ**(▼82)が13世紀末に発表した『**東方見聞録(世界の記述)**』により、アジアへの興味が高まっていた。

しかし当時、アジアへの陸路はイスラームのオスマン帝国におさえられていた。そこで、**羅針盤**(▼108)を用いるなど航海術にすぐれていたポルトガルとスペインは、海からアジアをめざした。

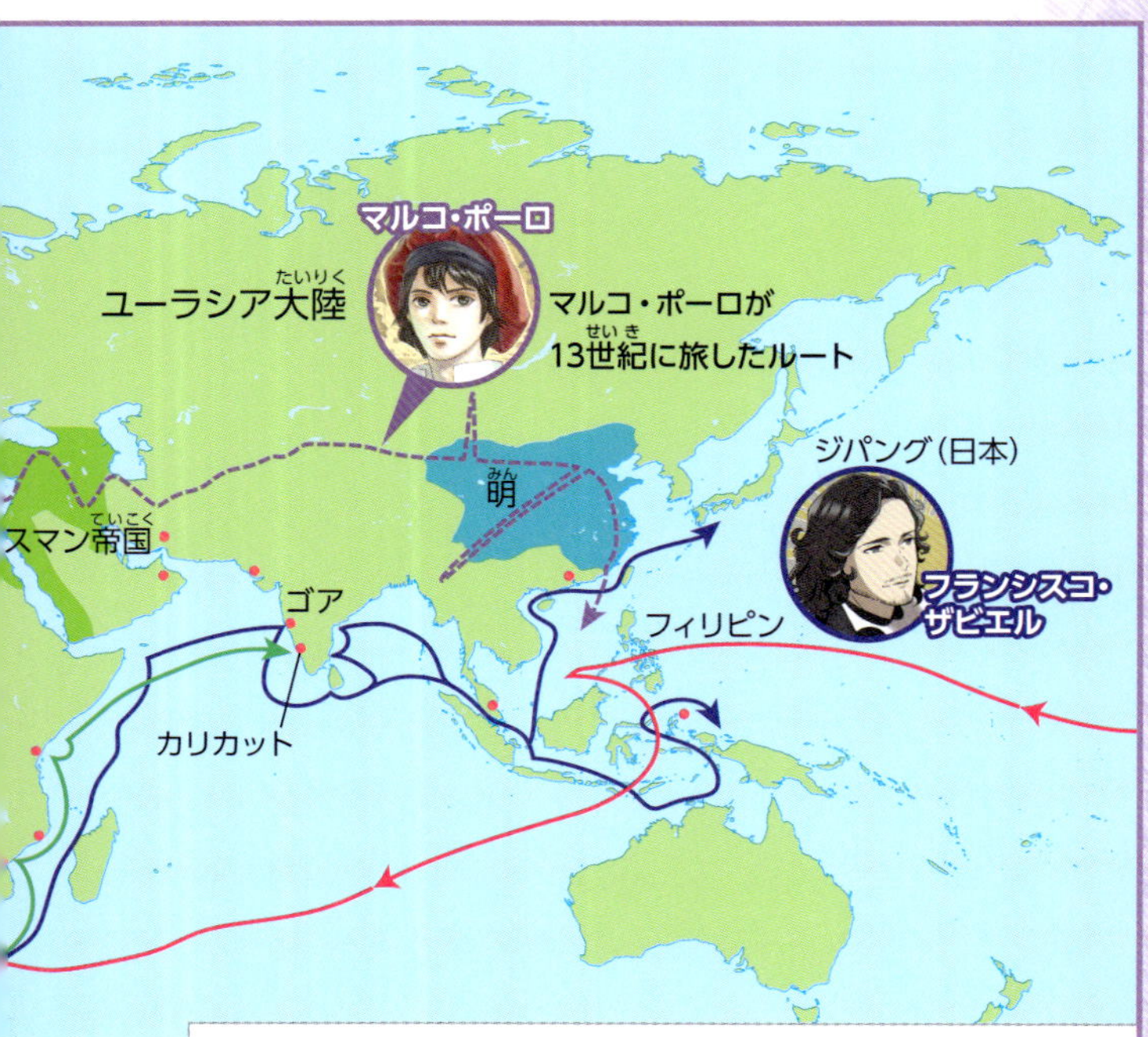

ポルトガルは、**エンリケ航海王子**(▼83)の支援で、アフリカ沿岸を伝ってアジアへむかう航路を開拓した。そして、1498年には**ヴァスコ・ダ・ガマ**が、アフリカ最南端の喜望峰を回ってインドにたどり着いた。

一方、スペインでは、女王**イサベル**(▼84)の支援を得た**コロンブス**(▼86)が西からインドをめざし、1492年にカリブ海のサンサルバドル島に着いた。これがのちに**新大陸**(アメリカ大陸)だとわかった。その後、**マゼラン**(▼89)の船隊は新大陸の南端を抜け、世界一周を達成した。

これらの航海により、ヨーロッパ各国は新大陸やアジア進出に力を入れるようになった。

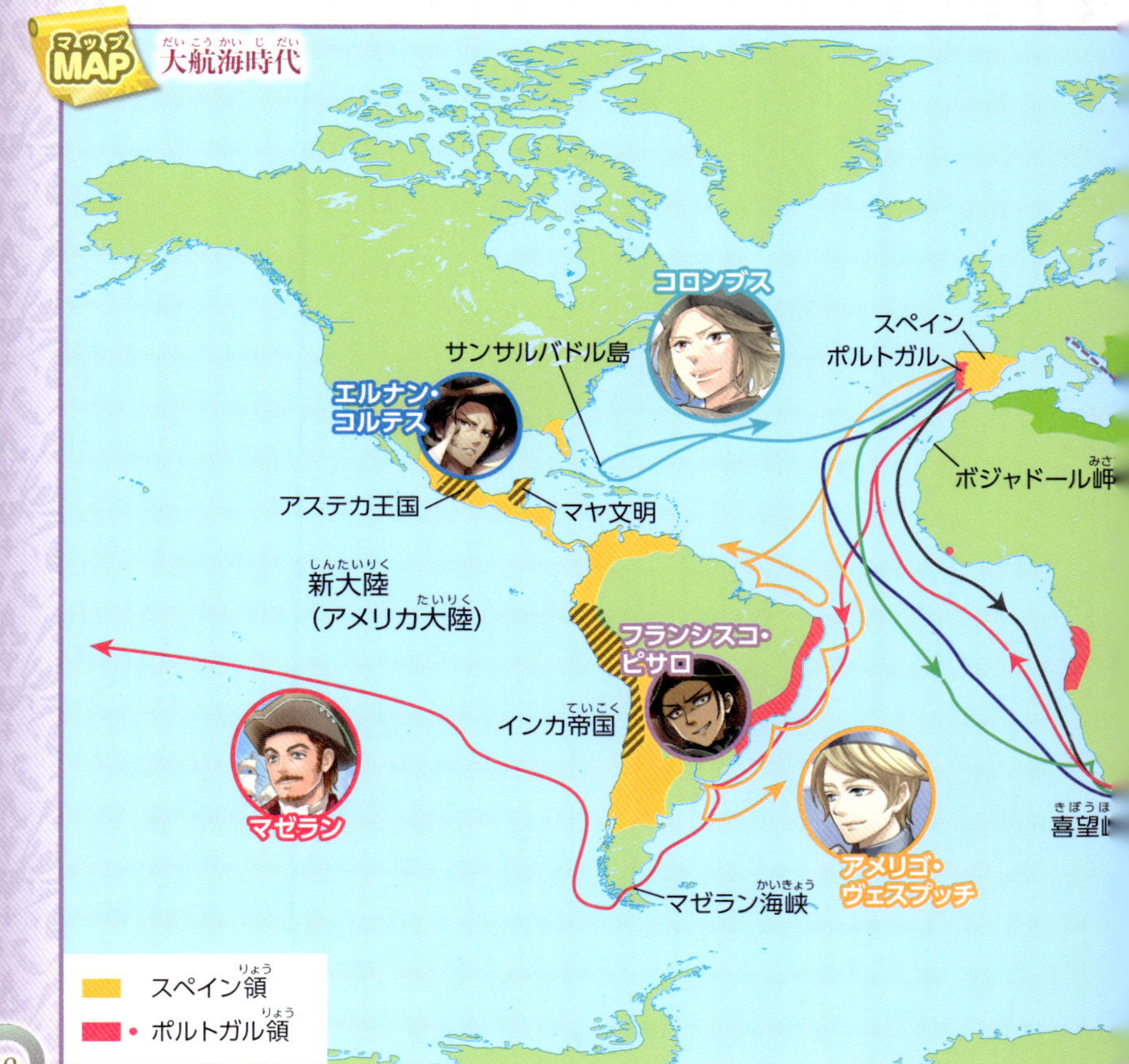

新大陸の植民地化・アジアとの交易

アジアの香辛料を求めて始まった大航海時代。ヨーロッパから西へと進んだ**コロンブス**や**アメリゴ・ヴェスプッチ**（▼88）による**新大陸**（アメリカ大陸）の発見は、ヨーロッパにおどろきと興奮をもたらし、さらなる航海へとつながっていった。

新大陸へは、スペイン人の**コルテス**（▼90）や**ピサロ**（▼94）ら征服者「コンキスタドール」が渡り、先住民の国家を滅ぼし、**植民地**をつくった。そして、とうもろこし、じゃがいも、とうがらし、タバコなどの農作物をヨーロッパへともたらした。

また、アジアとの交易もさかんになり、香辛料のほかに絹や陶磁器などを手に入れた。

一方で、新大陸やアジア各地へはキリスト教の宣教師を送り、キリスト教を広めていった。

アイテム 新大陸発見前の地図

コロンブスが新大陸を発見する前の地図には、アメリカ大陸は描かれていなかった。

植民地とは？

ある国からの移住者によって開発され、その移住者の本国の支配下に置かれた地域。

ヨーロッパにもたらされたもの・ヨーロッパがもたらしたもの

新大陸（アメリカ大陸） → **ヨーロッパ**

とうもろこし、じゃがいも、トマト、かぼちゃ、とうがらし、カカオ、タバコ、銀など

ヨーロッパ → **新大陸（アメリカ大陸）**

キリスト教、感染症、牛や馬、鉄、車輪など

アジア → **ヨーロッパ**

こしょうやシナモン、ナツメグなどの香辛料、絹、綿、陶磁器

ヨーロッパ → **アジア**

とうもろこしやじゃがいもなどアメリカから手に入れたもの、銀、火縄銃、キリスト教

ルネサンス

スペインやポルトガルで大航海時代が盛り上がっていたころ、イタリアの諸都市は、地中海を中心とした貿易で富を得ていた。イタリアの大商人や金融業者はもうけたお金で、古代ギリシアや古代ローマの芸術を理想とする芸術家を保護した。こうして新しい芸術運動**「ルネサンス」**が生まれ、ヨーロッパ中に広まっていった。

絵画や彫刻では、「モナ・リザ」などで知られる**レオナルド・ダ・ヴィンチ**(▶100)や「ダヴィデ像」で知られる**ミケランジェロ**(▶104)、**ボッティチェリ**(▶102)、**ラファエロ**(▶105)などが活躍。

地球は回っているという「地動説」を唱えた**コペルニクス**やその説を支持した**ガリレオ・ガリレイ**(▶107)も、ルネサンスの時代を生きた科学者だった。

MAP ルネサンスの中心となった諸都市

サヴォイア公国
トリノ
ミラノ公国
ミラノ
ヴェネツィア共和国
ヴェネツィア
ジェノヴァ
ボローニャ
サンマリノ共和国
フィレンツェ
ピサ
教皇領
ウルビーノ
シエナ
ローマ
ナポリ
シエナ共和国
ナポリ王国
フィレンツェ共和国
ジェノヴァ共和国
シチリア王国

ダヴィデ像
(アカデミア美術館所蔵)

ミケランジェロ

モナ・リザ
(ルーブル美術館所蔵)

レオナルド・ダ・ヴィンチ

そのころの日本は… 室町〜戦国時代

コロンブスがアメリカ大陸に到達した15世紀末、日本は室町幕府がおとろえて応仁の乱が起こり、戦国時代へと突入した。

16世紀に入ると、1543年にポルトガル人から種子島に鉄砲が伝えられ、弓矢や刀で戦う従来の戦い方を一変させた。1549年には**フランシスコ・ザビエル**(▶97)により初めてキリスト教が伝えられると、キリスト教は瞬く間に国内に広まり、各地にキリシタン大名が生まれた。

西洋に日本を紹介した冒険家

マルコ・ポーロ

ジパングという「黄金の国」があるぞ！

大航海時代の幕開けからさかのぼること約200年、イタリアのヴェネツィアの商人の家に生まれた**マルコ・ポーロ**。1271年、父や叔父とともに東方へと旅立ち、4年の歳月をかけてユーラシア大陸を横断。中国大陸を治める**元帝国**に到着すると、皇帝**フビライ・ハン**（▶259）の下で働くことになった。仕事は、広大な中国各地を視察し、見聞きしたことを報告すること。マルコはここで多くのことを知る。

1295年、マルコはヴェネツィアに帰ると、その後戦争に参加し捕虜となってしまう。この牢獄内で東洋での見聞を『**東方見聞録**（**原題《世界の記述》**）』にまとめた。この中で日本は、※「黄金の国ジパング」と紹介されている。

『東方見聞録』の内容は当時のヨーロッパの人々には信じられず、マルコは「ほら吹き者」あつかいされ、不遇のまま亡くなってしまう。しかし、未知の東洋の情報はヨーロッパ人のあこがれをかき立て、15世紀後半から始まる大航海時代の原動力となった。

※**黄金の国ジパング**：「大量の金がとれ宮殿は金でできている」と書いたが、実は日本を訪れていない。

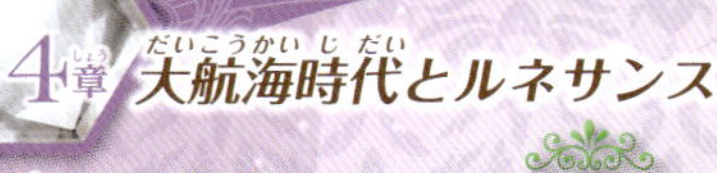

大航海時代の先駆者

エンリケ航海王子

ポルトガルの王子
出身地：ポルトガル
生没年：1394～1460年
性格：探求心旺盛

悪魔の岬を越えよ！

ポルトガル王**ジョアン1世**の息子、**エンリケ**。東南アジアとの香辛料貿易を行うために、宮廷を離れ、貿易航路探しを始めた。ただ、宮廷で任務が発生したらすぐもどらねばならず、自身は海に乗り出さなかった。

エンリケは、船乗りたちにアフリカ大陸沿岸を南下させようと計画するが、反対される。未知の海には魔物がすみ、特に西サハラのボジャドール岬は、越えたら二度と帰って来られない「悪魔の岬」だと信じられていたからだった。

エンリケはゆずらず、船乗りたちに命令、ついにボジャドール岬越えを実現させる。これをきっかけに、ポルトガルは国を挙げて航海に乗り出し、アフリカ大陸での商売を始め、大航海時代が幕を開けた。一方、エンリケは探検にこだわり、借金をしてまで探検航海をつづけさせたという。

ひみつのエピソード

実は船が苦手!?

「航海王子」として知られるエンリケだが、生涯ほとんど船に乗らなかった。実は船酔いがひどく、自分で探検をしたくてもできなかったといわれている。

結婚で歴史を動かした女王
イサベル
スペイン女王
出身地：カスティリャ王国
生没年：1451～1504年
性　格：策略家

結婚相手はわたしが決めるわ！

イベリア半島のカスティリャ王国の女王**イサベル**。隣国のポルトガル王との政略結婚の話をもち込まれるが、断固拒むと、こっそり連絡をとっていたアラゴン王子**フェルナンド**と独断で結婚。イサベルは学問好き、夫は賭け事好きで対照的な夫婦だったという。

フェルナンドがアラゴン国王になると、夫婦ふたりでカスティリャ王国とアラゴン王国を共同統治することを発表。ここにスペイン王国が誕生した。

イスラームからの奪還で歴史を動かす

スペインの統治は順調に進んだ。イスラーム勢力に支配されていた都市グラナダを包囲すると、その中心、アルハンブラ宮殿を制圧、グラナダを奪還した。これは、8世紀以来、イスラームにうばわれた国土を取りもどす、キリスト教徒による国土回復運動**「レコンキスタ」**を完成させる、歴史的な出来事だった。

コロンブスと出会い歴史を動かす

1486年、イタリア・ジェノヴァの船乗り**コロンブス**（▶86）が、大西洋を渡ってインドへむかう探検航海の話を売り込んできた。当時はライバルのポルトガルがアジア航海に力を入れていた時期。一度は協力を断るが考え直し、支援を約束した。1492年、コロンブスの船団を派遣。これが、結果的に新大陸（アメリカ）の発見となった。

イサベルはその後、病により死去。遺言状には「新大陸はわたしの国とその住人の犠牲で発見されたもの。この地域の貿易と商業の権利はスペインに返されるべき」と書かれていたという。

アルハンブラ宮殿

スペインのグラナダにある世界遺産。イスラーム教徒によってつくられた宮殿で、当時イスラーム勢力が治めていたことを示す貴重な遺跡。

コロンブス
ジェノヴァの船乗り
出身地：イタリアのジェノヴァ
生没年：1451〜1506年
特　技：航海

地球が丸いなら、西まわりでもインドにたどり着ける!

コロンブスは、イタリアの都市国家ジェノヴァ共和国の出身とされている。1492年、コロンブスはスペイン女王**イサベル**(▼84)の支援のもと、サンタ・マリア号など3隻の船を指揮して大西洋へと出航した。めざすはインド。天文学者**トスカネリ**の「地球球体説」を信じ、西へとむかったのだった。※

航海の成功に自信満々のコロンブス。だが、船員たちはちがった。当時、インドへの航海は、アフリカ大陸の南を通り、東へむかうものが定番。西への航海は未知で、不安でいっぱいだったのだ。

不安は反乱の元と見たコロンブスは、海鳥やクジラなど何かを見つけるたびに「陸地が近い証拠だ」と言い聞かせ、また、反乱が起こりそうになると「帰還航路はオレだけが知っている」とおどし、思い留まらせた。航海開始から2か月たったある日、船団はついに未知の陸地へと到達した。

オレは東方世界を見つけたのだ!

コロンブスがスペインに帰国すると、ヨーロッパ中がこの新しい発見に大興奮。提督となったコロンブスはすぐさま2度目の航海を計画し、再び海を渡った。

計4回の航海を行ったコロンブス。初めにたどり着いたのは、カリブ海に浮かぶサン・サルバドル島で、その後アメリカ大陸にも到達した。しかし、コロンブスは病死するまで「オレは『東方見聞録』が記した東方世界(インド)にたどり着いた」と信じていた。

ひみつのエピソード コロンブスの卵

成功をねたむ人から「当たり前のことをしただけ」と言われたコロンブス。卵をテーブルに叩きつけて立て、「立つはずのない卵が立っている。底を割ったから当たり前だ。しかし、この当たり前のことを人はなかなかしようとしない」と応じたという。ただこの逸話は、16世紀に生まれた創作との説も強い。

※当時は新大陸(アメリカ大陸)の存在は知られておらず、西へ進めばインドに着くと考えられていた。

「アメリカ」の名はこの人から

アメリゴ・ヴェスプッチ

コロンブスとは仲よし

イタリアの都市国家フィレンツェの名家に生まれた**アメリゴ・ヴェスプッチ**。スペイン王国で商館の支配人をしているとき、友人になった**コロンブス**(▼86)の新大陸発見を裏方として支えた。コロンブスは、アメリゴの私欲がなく、勤勉で誠実な人柄を愛し、手紙のなかで絶賛している。

航海術にもすぐれていたアメリゴは、計4回、コロンブスが発見した新大陸の沿岸を探検航海した。そして、新大陸が『東方見聞録』の記す東方世界ではなく、未知の大陸であることをつきとめる。

1503年、アメリゴが自身の発見を論文『新世界』上に発表すると、1507年にドイツの地理学者がアメリゴの論文を収録した『世界誌入門』を刊行。このとき新大陸にはアメリゴに由来する「アメリカ」という名前がつけられていた。本人の知らないところで命名が行われていたのだった。

アメリゴは1512年に亡くなるが、その遺言状には自身の功績に関する記述は一切なかった。

世界一周へと導いた男

マゼラン

ポルトガル人の航海者

出身地：ポルトガル
生没年：1480ころ〜1521年
性　格：親分肌

この海峡を何としても抜ける!

ポルトガルの下級貴族出身の**マゼラン**。1517年にスペインに移ると、「大西洋を横断し、新大陸の南端の海峡を突破し、東方世界に到達する」という探検航海計画をスペイン王室に売り込んだ。計画は認められ、1519年9月、5隻からなるマゼラン船隊はスペインを出航した。

南半球の厳しい自然、海峡は本当にあるのかなど未知への不安をかかえながらも、船隊は新大陸を南下。1520年11月28日、新大陸南端の海峡（現在のマゼラン海峡）を抜けることに成功した。乗組員は「提督は喜びの涙を流し、海峡の出口の岬を『希望の岬』と命名した」と記録に残している。

その後、船隊は西に航海をつづけ、フィリピンに到着した。マゼランはここで島民同士の戦いに巻き込まれ命を落とす。しかし、残された船員たちは航海をつづけスペインに帰還。ついに世界一周を成しとげ、地球が球体であることを証明し、太平洋という未知の海の存在を明らかにしたのだった。

神のふりをしてアステカ王国を制圧だ！

スペイン王国の田舎貴族**コルテス**。1519年、新大陸で手柄を立てようと、約500の軍勢を指揮して中米のユカタン半島に上陸した。そこで現地女性の**マリンチェ**（▼91）と出会う。マリンチェはコルテスのことをアステカの神の化身と信じ込み、通訳と案内をしてくれることになった。

マリンチェを引き連れ、黄金の国アステカ王国の首都をめざすコルテス。首都テノチティトランは人口20万人を超える大都市で、制圧は難しいように思えた。しかし、周辺部族との戦いの末、彼らを味方につけることに成功。マリンチェや周辺部族のたすけもあり、アステカ国王**モクテスマ2世**（▼92）との面会が実現した。

コルテスはアステカの神としてふるまい皇帝をだますと、監禁し捕虜にした。アステカ軍の抵抗にあうも、スペイン兵がもち込んだ※**天然痘**がアステカ軍にまん延。コルテスは攻勢に出てアステカ王国を征服。スペイン人によるメキシコの支配が始まるのだった。

※**天然痘**：伝染力が非常に強く死に至る感染症。アメリカ大陸の先住民には免疫がなかった。

「裏切り者」とよばれた先住民の女

マリンチェ

メキシコの先住民

出身地：アステカ王国
生没年：1502ころ〜1527年ごろ
特　技：通訳

あなたにわたしの人生をかける！

アステカの小さい町の首長の娘として生まれたマリンチェは、幼いころに父と死別すると、奴隷商人に売られてタバスコ※の村にたどり着いた。この複雑な生い立ちから、アステカとマヤの2つの言葉を理解できるようになった。

17歳になったある日、タバスコの村に見たこともない人々がやって来た。**コルテス**（▼90）率いるスペイン人だった。マリンチェはまたも奴隷として差し出される。しかし、コルテスをひと目見たマリンチェは、彼こそが自分の不幸な運命を変えてくれる、神話の神ケツァルコアトルの化身だと確信し、人生を預けることを決意する。

マリンチェは賢くスペイン語も覚え、3つの言葉を理解していたため、通訳と案内を任されることになった。マリンチェのたすけで国王の元にたどり着いたコルテスは、アステカ王国を滅ぼしてしまうのだった。

以降、アステカ王国を滅亡へ導いたマリンチェは、「裏切り者」とよばれるようになった。

※タバスコ：ユカタン半島の根元に位置するマヤ人の村。トウガラシの産地として有名。

やって来たのは神の再来？侵略者？

アステカ王国第9代国王**モクテスマ2世**。1502年に王に即位して以来、周辺部族を厳しく抑え込み、アステカを支配していた。

そこに突然やって来たのがスペイン人の侵略者**コルテス**(▼90)だった。コルテスたちがユカタン半島に上陸した情報を得たモクテスマ2世は、「肌の白い人々が来た」という一報におどろいた。実はアステカ王国には『1の葦の年』※に白い肌をした神話の神ケツァルコアトルが来臨し、アステカを統治する」との伝承があり、まさにこの年が「1の葦の年」だったのだ。「彼らはケツァルコアトルの再来かも」と思ったモクテスマ2世は対応を迷い、コルテスらを宮殿にまねき入れてしまう。もてなそうとするも逆につかまり、監禁されてしまった。

スペイン人との戦闘が始まっても、なおも迷いの消えないモクテスマ2世は、自国民に死者が出ているにもかかわらず「戦いをやめろ」と叫ぶ有様。最後は国民が投げた石に当たり、命を落とした。

※**1の葦の年**：アステカ暦の各年につけられた名前のひとつ。52年に1回めぐってくる。

コラム

新大陸の先住民と文明

コロンブスが到達した当時のアメリカ大陸では、先住民により、古代から独自に発展したさまざまな文明があった。

高度な石造技術をもつ文明

アメリカの多くの文明では、主食であるとうもろこし栽培がさかんで、馬や牛などの大型の家畜をもたず、運搬作業や農作業などは、人の手で行っていた。また、ヨーロッパやアジアで古くから使用されていた車輪は使われておらず、金や銀、銅などは豊富に採れる一方で鉄器はなく、青銅器や石器を使っていたのも特徴となっている。

また、高度な石造技術をもち、石を使って多数の巨大な神殿などを建造。太陽神や神話の神などをあがめていた。

アステカ王国

現在のメキシコ中部に栄えた文明。太陽神に人間を生けにえとして捧げる儀式を行っていた。1521年に**コルテス**(▶90)によって滅ぼされる。

テンプロ・マヨール

首都テノチティトランの中心にあった大神殿の遺跡。

マヤ文明

ユカタン半島を中心に栄えた文明。マヤ文字という象形文字を使い、数学や天文学などの高度な知識をもっていた。1697年にスペインによって征服された。

ティカルの神殿

マヤ文明の中心地のひとつで、多くの神殿が建設された。

インカ帝国

アンデス山脈周辺に栄えた文明。1533年に**ピサロ**(▶94)により滅ぼされる。

標高2500メートルの高所に建設された町。「空中都市」とよばれることもある。

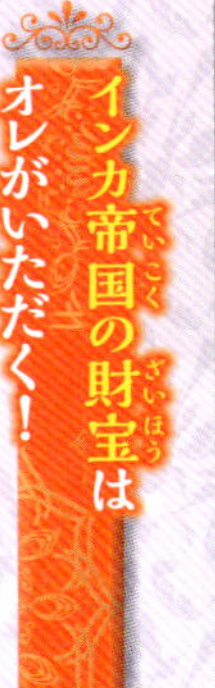

コロンブス（▶86）によるアメリカ大陸発見後、この未知の土地の征服を進めたスペイン人を**コンキスタドール**とよぶ。その代表格が、**コルテス**（▶90）と**フランシスコ・ピサロ**だ。

ピサロは南スペインの農民出身で、コロンブスが新大陸を発見すると、一旗あげるべく探検航海に参加し、大西洋を渡った。

新大陸で未知の黄金帝国のうわさを聞き、征服を企てるピサロ。1531年、3度目の探検でようやくインカ帝国へとたどり着いた。率いる軍勢はわずか180名ほどだったが、現地人は持っていない銃で武装していた。

ピサロは奇襲で現地人を虐殺。拘束したインカ帝国皇帝**アタワルパ**（▶95）をたくみにあやつり、帝国中から黄金を集めた。ピサロ自身は皇帝を生かすつもりだったが、部下の声を無視できず、絞首刑を執行。インカ帝国を制圧した。

征服者として成功し、莫大な財宝に手に入れたピサロだが、仲間割れの末、最後は殺されてしまう。

インカ帝国最後の皇帝

アタワルパ

インカ帝国皇帝
出身地：インカ帝国
生没年：生年不明〜1533年
趣味：黄金収集

きみたち神じゃないのか。何しに来た？

現在のペルーなどを中心に築かれたインカ帝国の第13代皇帝**アタワルパ**。**ピサロ**（▼94）に率いられたスペイン人がやって来るという情報を察知。「白い肌にヒゲ」と聞いたときは、インカ神話に伝わるビラコチャ神のことかと思ったが、ただの肌が白い人間であることをつき止めたという。

ピサロから会いたいと言われ、余裕しゃくしゃくの様子で会うアタワルパ。スペイン人を捕らえたら、半分は神の生贄に、あとの半分は奴隷にする算段まで立てるほど油断していた。ピサロにキリスト教の聖書を差し出され、これを投げ捨てると怒りを買い、ピサロの奇襲を受けてつかまってしまう。

ピサロたちが帝国の支配を考えているとは思いもしなかったアタワルパ。部屋いっぱいの金銀財宝をあたえ解放を願い出るも認められなかった。異教徒として火あぶりの刑にされると聞くと、死の間際にキリスト教の洗礼を受けフランシスコの名になる。しかし、絞首刑にされてしまうのだった。

「アメリカの王女」とよばれた先住民

ポカホンタス

アメリカの先住民

出身地：北アメリカのヴァージニア
生没年：1595ころ〜1617年
性　格：心やさしく物おじしない

わたし、イギリス人のカレと結婚する！

インディアンの族長の娘で、「お転婆」を意味するあだ名の**ポカホンタス**。1607年ごろ、アメリカへ渡ってきたイギリス人たちが慣れない土地に苦しむ様子を見て、手だすけするようになった。トラブルを起こし、処刑されそうになっていたイギリス人をかばい、たすけたこともある。

そんな心やさしいポカホンタスだったが、17歳のころ、イギリス側に人質として捕まってしまう。植民地で暮らすことになったポカホンタスだが、読み書きなど西洋文化にすぐになじみ、さらには、キリスト教の洗礼を受け、「レベッカ」という名前をもらった。

18歳のころ、タバコ栽培家の**ジョン・ロルフ**と出会い、やがてふたりは結婚。これはアメリカ先住民とヨーロッパ人との初めての結婚といわれている。その後、ロルフとイギリスへ渡ると、国王からも歓迎を受け、「アメリカの王女」とよばれるようになった。

アメリカへもどろうとした矢先、病にたおれ、人生に幕を閉じた。

日本にキリスト教を伝えた男

フランシスコ・ザビエル

イエズス会の宣教師
出身地：ナバラ王国（現・スペイン）
生没年：1506〜1552年
性格：まじめ

東洋にキリスト教を！

スペインのナバラに生まれ、19歳でパリの大学に入った**ザビエル**。仲間とともにキリスト教布教団体「**イエズス会**」を創設すると、キリスト教を広めようと、東洋へ布教の旅に出た。

東南アジアでの布教中に日本人「**アンジロー（ヤジロー）**」に出会い、その案内で1549年に来日。天皇とは面会できなかったが、中国地方の**大内義隆**や北部九州の**大友宗麟**ら戦国大名の許可を得て、その城下町でキリスト教の布教を始めた。

ヨーロッパの華やかな衣装を身にまとい、にぎやかな音楽をかなでながら城下町を練り歩くと、布教会場は連日大にぎわい。ザビエルが日本の僧を見習い、肉・魚を口にしなかったことも好印象で、短い間に多くの人々がキリスト教に改宗した。一方で、「魔法を使った悪魔の宗教だ！」と、石を投げつけられることもあった。

来日から2年3か月後、ザビエルは日本を離れる。中国へむかう途中に病死した。

コラム

ルネサンスを生んだパトロンたち

ルネサンスの芸術は、莫大な財産や絶大な権力をもつ人々によって支えられていた。

芸術家たちを支援したパトロン

ルネサンスは、古代ギリシアやローマの文化、学問を理想とし、人間中心の文化の再生をめざす運動として、14世紀にイタリアで始まった。ルネサンスの時代を通じて、さまざまな芸術家や建築家、作家、科学者などが活躍したが、彼らの活躍を支えていたのが、パトロンとよばれる富豪や貴族、聖職者たちだった。

パトロンは、芸術家にお金を出し、生活の不自由をなくすことで、作品の制作に専念できるようにした。また、宗教画や肖像画などを自ら依頼することもあった。

パトロン その1

ロレンツォ・デ・メディチ（1449〜1492年）

フィレンツェ共和国（イタリア）で絶大な権力を誇ったメディチ家の当主。銀行家、資本家、政治家としてルネサンスを支え、ボッティチェリらを支援。自らも文筆家として才能を発揮した。

ボッティチェリ （▶102）

画家フィリッポ・リッピの工房で修業後、独立して活躍。写真は、代表作の「ヴィーナスの誕生」（ウフィツィ美術館所蔵）。

パトロン
その2

ユリウス2世
(1443～1513年)

ローマ教皇。ミケランジェロやラファエロなど多くの芸術家を支援して、ヴァチカン宮殿を豪華に飾り立てた。その結果、フィレンツェなどから多くの芸術家がヴァチカンのあるローマに移住した。

ミケランジェロ

(▶104)

ルネサンスを代表する芸術家。ユリウス2世によばれてローマへ行き、システィーナ礼拝堂の天井画を手がけた。写真は「最後の審判」(システィーナ礼拝堂所蔵)。

ラファエロ

(▶105)

ミケランジェロと並び、ルネサンスを代表する画家。ユリウス2世のまねきでローマを訪れ、ヴァチカン宮殿の壁画などを描いた。写真は「アテネの学堂」(ヴァチカン宮殿所蔵)。

レオ10世
(1475～1521年)

ロレンツォ・デ・メディチの息子で、ローマ教皇。ユリウス2世につづき、ミケランジェロやラファエロを支援した。

ルネサンス期の大天才
レオナルド・ダ・ヴィンチ
ミラノで活躍した芸術家
出身地：イタリアのフィレンツェ近郊
生没年：1452〜1519年
性　格：明朗活発

人間離れした奇跡の人

イタリアのフィレンツェ近郊のヴィンチ村に生まれた**レオナルド・ダ・ヴィンチ**。芸術家のもとに弟子入りしたのち、1478年ごろから自分の工房をもち、芸術家としての活動を開始。「最後の晩餐」「モナ・リザ」「岩窟の聖母」などの絵画作品を残した。

高貴さあふれる容姿とふるまいから、生前すでに「自然がその法則を破って生み出した奇跡の人」といわれていた。

真夜中のヒミツの行動

「万能の天才」であったダ・ヴィンチは、絵画・彫刻・建築・工芸など芸術分野ですぐれた功績を残したほか、気象学・河川工事・兵器開発なども手掛けた。

また、解剖学にも通じていて、「人の体を正確に知るには内部を見るしかない」と覚悟を決め、真夜中に墓を掘り起こし、ろうそくを灯して死体の解剖をしたという。

自由を愛した天才

天才にありがちな偏屈さはなく、快活で人々とのふれあいを楽しんだダ・ヴィンチ。生活はとても苦しかったが、店先でカゴに入れられた鳥を見ると買い取り、「失った自由を取りもどしてやる」と放してやるのが常だった。

晩年はフランス王**フランソワ1世**にまねかれて、フランスで暮らし、文化の向上に貢献。1519年、見舞いに訪れたフランス王の腕の中で息を引き取ったという。

「最後の晩餐」

サンタ・マリア・デッレ・グラツィエ修道院所蔵

キリストの死の前日の、12人の弟子との食事の様子を描いたもの。遠近法などをたくみに使用している。

洗脳された天才画家

ボッティチェリ

フィレンツェの画家

出身地：イタリアのフィレンツェ
生没年：1444ころ〜1510年
趣　味：浪費

オレは、なんて絵を描いていたんだ…

革細工職人の家に生まれた**ボッティチェリ**は早くから絵の才能を認められ、フィレンツェを治めるメディチ家の保護を受けて作画活動にはげんだ。そして「ヴィーナスの誕生」や「春」など、神話画、女性像を中心に名作を残した。

ボッティチェリの人生を変えたのは、パトロンである**ロレンツォ・デ・メディチ**（▶98）との死別、そして、修道士**サヴォナローラ**との出会いだった。「堕落から立ち直れ」という修道士の言葉に洗脳されると、自分の作品を伝統的な宗教画ではない堕落した絵だと思い、焼き捨てたという。その後、作風は重々しいものとなり、作品の数も減少していった。

貯えはほとんどなく、生涯独身で通し、65歳でこの世を去った。

「春」 ウフィツィ美術館所蔵
愛と美の女神ヴィーナスを中心に、神々を描いた作品。

麗しの美女の数奇な運命

ジェノヴァの貴族の娘**シモネッタ**は、16歳のときにフィレンツェのヴェスプッチ家に嫁ぐ。その気品のあるたたずまいはフィレンツェ中で評判となった。

そのころ、フィレンツェの名家メディチ家には、**ボッティチェリ**(▶102)のパトロンである**ジュリアーノ**がいた。ジュリアーノはシモネッタが気になり、ボッティチェリにシモネッタを描いた旗をつくらせた。ジュリアーノがその旗を持って参加した騎士の馬上槍試合(▶65)に訪れたシモネッタは、ジュリアーノと惹かれ合ったという。

多くの画家のモデルとなったシモネッタだったが、翌年、23歳の若さで病死する。ジュリアーノもまた、その2年後の同日に、暗殺されてしまうのだった。

ひみつのエピソード　名画「春」のヒミツ

「春」(▶102)の左に描かれた3人の女神の真ん中がシモネッタ、左端の守護神はジュリアーノをモデルとしていて、ボッティチェリがふたりの哀れを思い絵に込めたといわれている。

大理石と対話する天才

ミケランジェロは少年のころから彫刻家としての才能を認められ、フィレンツェを治めるメディチ家の彫刻収蔵庫に出入りを許されるほどであった。そのためか少々生意気なところがあり、友人の作品をけなして殴られ、鼻の骨を折られたことがある。

芸術家として独立すると、フィレンツェとローマを行き来し創作にはげむ。大理石を前にすると一切の妥協を許さず、完成時期を問われても、「できますときに」と答えていた。怒ったローマ教皇に、「できますときに、とはどういうことか」と杖で殴られたことも。

彫刻では「ダヴィデ像」やサン・ピエトロ大聖堂の「ピエタ」、祭壇壁画ではシスティーナ礼拝堂の「天地創造」が知られている。

「ピエタ」

サン・ピエトロ大聖堂所蔵
大理石に彫られた20代前半の作品。キリストをいだく聖母マリアの姿が表現されている。

若くして亡くなった天才画家

ラファエロ

フィレンツェの画家
出身地：イタリアのウルビーノ
生没年：1483〜1520年
性格：遊び好き

仕事より女の人が好き

詩人・画家の子として誕生した**ラファエロ**。父親から絵画の基本を仕込まれ、画家に弟子入り。1504年からの4年間はフィレンツェを中心に活動し、**レオナルド・ダ・ヴィンチ**（▶100）や**ミケランジェロ**（▶104）の画風を取り入れ、「牧場の聖母」などの作品を発表。独自の作風を確立した。

その後、ローマへ行き、教皇庁内で「アテネの学堂」「聖体の論議」などの代表作を描いている。

画業では輝かしい功績を残したが、私生活はかなりの遊び人で、女たらしだった。「交際女性を工房によべないなら絵は描かない」と、依頼主をこまらせたことも。

遊び人生活がたたり病を発症。医師が治療を誤ったことが原因で、37歳の若さで亡くなった。

「牧場の聖母」
ウィーン美術史美術館所蔵
ラファエロは「聖母の画家」とよばれるほど、生涯多くの聖母の絵を描いた。

カラヴァッジョ

出身地：イタリアのミラノ
生没年：1571ころ～1610年

破天荒な人生を歩んだ天才画家

ルネサンスが終わるころ、それまでの画家とはまったく異なる劇的な明暗表現と写実的な描写で、見る者の心を揺さぶる作品を描いた**カラヴァッジョ**。画風同様性格も激しく、35歳のころ夜の街で、賭け事の口論から友人を刺し殺してしまう。38歳で亡くなるまで、逃亡中も作品を描きつづけた。

「ゴリアテの首を持つダビデ」
ボルゲーゼ美術館所蔵

アルテミジア・ジェンティレスキ

出身地：イタリアのローマ
生没年：1593ころ～1654年ごろ

女性画家の道を切り開く！

女性が画家として成功するのが難しかった時代に生まれた**アルテミジア・ジェンティレスキ**。父の友人でもあった**カラヴァッジョ**（▼106）に影響を受けた明暗の強い作風で女性画家として成功した。自身の人生を表すような、強い女性像を数多く残している。

「ユディトとその侍女」
ピッティ美術館所蔵

それでも地球は動く！

織物商・音楽家の子として生まれた**ガリレオ・ガリレイ**。ピサ大学に入学するも、学費不足によって退学させられてしまう。

退学後、アルバイト生活をしつつ論文を作成。これが認められピサ大学の数学教授となる。やがてガリレイは自身でつくった望遠鏡で天体観測をし、天文学者**コペルニクス**が唱えていた、太陽を中心に地球が回っているとする「地動説」が正しいことを発見した。

1632年に地動説の正しさを説いた『天文対話』を刊行。しかし翌年、ガリレオはローマの異端審問所※によび出される。待っていたのは「地動説を捨てるか？　異端として火あぶりの刑になるか？」という究極の選択。当時のキリスト教世界では、天体が地球の周りをまわっているとする「天動説」が信じられていて、ガリレオの学説は異端だったのだ。

仕方なく地動説を捨てたガリレオ。火あぶりはまぬがれたが禁固刑となり、出獄後も自宅軟禁が死ぬまでつづくのだった。

※ 異端審問所：ローマ・カトリック教会が設置した、教義からの違反を取り調べる裁判所。

コラム

ルネサンスの発明品

ルネサンスのころ、新しい芸術や建築だけでなく、アジアなどから取り入れた技術の発展により、時代が大きく変わっていった。

火砲、羅針盤、活版印刷術

ルネサンスは、芸術や建築、科学だけでなく、技術が進化した時代でもあった。

中国からイスラーム経由で伝わった武器の**火砲**は、戦い方を変え、騎士の没落へとつながった。同じく中国から伝わった**羅針盤**は、天文学や地図の発達と合わさって、大航海時代の遠征を可能にした。また、中国で着想され、ドイツのグーテンベルクが開発した**活版印刷術**は、書物の大量印刷を可能にし、思想を広めるのに役立った。

これら3つの技術を、ルネサンスの「三大発明」とよぶこともある。

火砲

中国では、火薬を陶器や金属などにつめ、手で投げていたが、ルネサンスの火砲は石や金属の砲弾を火薬の力で遠くに飛ばした。

羅針盤

それまで星などを頼りに航海していたが、南北を指す磁針と方位カードで方角を正確に知れるようになった。

活版印刷術

金属の活字を使った印刷術。それまでは手で書き写していたため、書物を読めるのは一部上流階級だけだったのが、活版印刷によりたくさんの人の手に渡るようになった。これが宗教改革(▶110)へとつながっていく。

5章 宗教改革とヨーロッパの王政

主なできごと

世紀	年	できごと
16世紀	1517年	**マルティン・ルター**(▶112)、**「九十五カ条の論題」**を発表。**宗教改革**が始まる
	1534年	**ヘンリ8世**(▶114)が**イギリス国教会**をつくる
	1547年	モスクワ大公国の**イヴァン4世**(▶153)、**ツァーリ(皇帝)**を名乗る
	1554年	スペイン王子**フェリペ2世**(▶128)、イングランド女王**メアリ1世**(▶118)と結婚
	1558年	イングランドで、**エリザベス1世**(▶120)が即位
	1571年	**レパントの海戦**でスペインなどの連合軍が、オスマン帝国軍を破る
	1572年	フランスで**サン・バルテルミの虐殺**が起こる
	1580年	スペインのフェリペ2世がポルトガルを併合。このころスペインは**「太陽の沈まぬ国」**とよばれる
	1581年	**ウィレム1世**(▶138)、オランダ(ネーデルラント)のスペインからの独立を宣言
	1584年	イギリス、北アメリカに植民開始
	1588年	**アルマダの海戦で**イングランド艦隊がスペインの無敵艦隊を破る
	1600年	イギリス、東インド会社を設立
17世紀	1602年ごろ	**シェイクスピア**(▶124)の戯曲『ハムレット』が初演される
	1602年	オランダ、東インド会社を設立
	1604年	フランス、カナダ植民開始
	1618年	ドイツで**三十年戦争**開始
	1624年	オランダ、台湾を占領
	1643年	フランスで、**ルイ14世**(▶144)が即位
	1682年	ルイ14世、**ヴェルサイユ宮殿**をつくる
		ロシアで**ピョートル1世**(▶154)が即位
	1687年	**アイザック・ニュートン**(▶125)、**万有引力の法則**などを発表
18世紀	1701年	プロイセン王国成立
	1740年	**オーストリア継承戦争**で、オーストリア大公**マリア・テレジア**(▶156)とプロイセン王**フリードリヒ2世**(▶157)が争う
	1756年	ヨーロッパ各地で**七年戦争**が起こる
	1791年	ロシア皇帝**エカチェリーナ2世**(▶155)、大黒屋光太夫と対面する

どんな時代だったの？

宗教改革とヨーロッパの王政

宗教改革によって、新しい宗派の**プロテスタント**が誕生。ローマ教会の**カトリック**と対立していく。

ドイツで始まった宗教改革

イタリアでルネサンスが花開いていたころ、ドイツの**マルティン・ルター**(▼112)が、聖書の教えにしたがってキリスト教を信仰するべきだとうったえた。このルターやスイスの**カルヴァン**らの

カトリックとプロテスタントの分布

ドイツやスイスからプロテスタントが広まっていった。

イギリス国教会の誕生

イングランド王国では、国王**ヘンリ8世**(▼114)がカトリックで認められていない離婚をしたいがために、プロテスタントのイギリス国教会をつくった。そして、ヘンリ8世は離婚と再婚をくり返した。

ヘンリ8世と**アン・ブーリン**(▼116)の間に生まれた**エリザベス1世**(▼120)は、王家の力を示し、**ドレーク**(▼122)から海賊をうまく使いながら、積極的に海外進出を行った。

イギリス王室家系図

丸数字は王位継承順

妻 ― ヘンリ7世①
②ヘンリ8世 ▼114
6人と結婚！
アン・ブーリン ▼116
③エドワード6世
ジェーン・グレイ ▼117
⑥エリザベス1世 ▼120
⑤メアリ1世 ▼118
④メアリ・スチュアート ▼123 スコットランド女王

16～18世紀のヨーロッパの勢力図の変化

●イギリスとオランダのアジア進出

スペインに勝利した**エリザベス1世**のイギリスは、アジアに貿易の拠点をつくり、アメリカ大陸には植民地をつくった。1581年にスペインから独立したオランダ(ネーデルラント)も、イギリスと競ってアジア貿易を積極的に行った。

●「太陽の沈まぬ国」スペイン

スペインは、16世紀の**フェリペ2世**(▶128)のころに最盛期をむかえた。アメリカ大陸、アジアへと勢力を広げたが、1588年の**アルマダ**※**の海戦**でイギリスに敗れ、衰退した。

●三十年戦争で分裂したドイツ

経済の悪化と宗教対立から、ドイツの神聖ローマ帝国では**三十年戦争**が起きた。帝国は戦争で荒廃。**プロイセン公国**など各諸侯が治める国が力をつけ、帝国内は分裂した。

●フランスの絶対王政

王室が力をつけたフランスでは、**ルイ14世**(▶144)が君臨した17世紀から18世紀にかけて、その優雅な王室がヨーロッパ文化の中心となった。

●ロシア帝国の登場

16世紀にモスクワ大公国の**イヴァン4世**(▶153)が領土を拡大すると、17世紀に**ピョートル1世**(▶154)が**ロシア帝国**として国力を高めた。

そのころの日本は… 戦国～江戸時代

宗教改革が広まったころ、日本は戦国武将が覇権を争う戦国時代だった。その後、イギリスやオランダが海外へ進出し、フランスでルイ14世が優雅な暮らしを送るころ、日本では**徳川家康**が開いた江戸幕府の時代に突入。**鎖国政策**により、ヨーロッパ各国との交易が厳しく制限されるようになった。

MAP 16～17世紀ごろのヨーロッパ各国の領土

イスラームのオスマン帝国をレパントの海戦で破ったスペインは地中海も支配。さらにフィリピンなどまで進出したが、アルマダの海戦でイギリスに敗れ、主役の座をゆずった。

※アルマダ：当時、「無敵艦隊」とよばれていたスペイン艦隊をさす言葉。

プロテスタントの創始者
マルティン・ルター
ドイツの神学者
出身地：ドイツのザクセン地方
生没年：1483～1546年
特　技：説教

修道士になるから、たすけて!

ドイツ(神聖ローマ帝国)の鉱山業者の息子**ルター**。進学先の大学から故郷へ帰る途中激しい落雷にあい、恐怖のあまり「聖母マリア様、たすけてください! たすけてくださったら、わたしは修道士になります」と叫んでしまう。雷が去ると自分の言葉を後悔したが、マリア様への誓いを裏切るわけにもいかず、両親の反対を押し切って修道院に入った。

その後、カトリック教会の中心であるローマへ旅したルター。しかし、信仰より金もうけに走る様子を目の当たりにし、この世の地獄だと実感。カトリックのあり方に激しく疑問をもつようになった。

信じることで救われる!

1517年、神学教授となっていたルターは、教会のとびらに**「九十五カ条の論題(意見書)」**を張り出し、教会による贖宥状(神が罪を許してくれるというもの)の販売を批判し、聖書(神の教えを集めた文書など)を信じることで救われると主張した。聖職者としてのあり方に疑問を投げかけたこの意見書は、教会の支配に苦しむ人々の共感を得て、ドイツ全土で大きな反響をよんだ。

ルターはローマ教皇に異端者あつかいされ破門されてしまうが、改革を決意したルターは、ローマ教皇の権力の否定やカトリック教義の批判などを行い、**宗教改革**を指導。多くの諸侯・都市が賛同してルター派となった。

抗議者=プロテスタント

ドイツ国会によるルター派禁止の決定に対し、ルター派諸侯・都市が激しく抗議したことから、ルター派の人々は**プロテスタント**(抗議する人)とよばれるようになった。「この世の行為は、すべて、希望の力がなせるわざである」との名言も残したルター。最後は、故郷の町で息を引き取った。

絶対王政をつくりあげた君主
ヘンリ8世
イングランド国王
出身地：イングランド王国
生没年：1491～1547年
特　技：芸術と武芸

何だってできるのさ！

ヘンリ7世の第2王子**ヘンリ8世**。幼いころから天才ぶりを発揮し、神学・数学・語学を習得。楽器の演奏や賛美歌の作曲もし、狩猟やレスリングを好んだ。とくに弓術が得意で、「弓を引く力はイングランド一」といわれていた。

この恋、だれにも邪魔させない！

父親が亡くなると、兄が早くに亡くなっていたため、王位を継承。慣例を破って亡き兄の妻の美しさに恋をし、妃にむかえるが、男の子が生まれなかったことから関係が悪化。やがて臣下の娘**アン・ブーリン**（▼116）に一目ぼれし、「妃と離婚してアン・ブーリンを妻に」と考えるようになった。

しかし、国王の結婚に影響力をもつローマ教皇はこれを認めようとしない。そうこうするうちにアンは妊娠。ヘンリ8世は「ローマ教皇はオレの恋を邪魔するな」とばかりに、ローマ教皇から分離した**イギリス国教会**を成立させ、その首長の地位についた。

この国でいちばん偉いのはオレだ！

その結果、これまでローマ教皇に納められていた教会関係の税金は、国王に納められることになった。また、修道院の解散と修道院が所有していた土地・財産の没収をすすめたので、王室の財政は一気に強化され、国王の権限も増強、「絶対王政」の基礎が築かれた。

ヘンリ8世は亡くなるまで、6度の結婚や、アン・ブーリンをふくむふたりの妃や側近の処刑など、臣下が眉をひそめる行為も多かった。しかし、政治家としてはすぐれていたため、イギリスの近代を築いた君主とされている。

ひみつのエピソード　ステーキの名づけ親!?

日本でもおなじみのサーロイン・ステーキ。このステーキを食べたヘンリ8世が、あまりのおいしさにナイト（騎士）の位である「サー」の称号をおくったのだという俗説があるが、定かではない。

ワタシ…王妃になりたい！

駐フランス大使となった父親と共にフランスにいた**アン・ブーリン**は、戦争の危機がせまったため、1522年イングランドに帰国。宮廷でのイベントに出席したときに、黒く可憐な瞳で**ヘンリ8世**（▼114）のハートをうばった。宮廷内へまねかれると、ヘンリ8世の寵愛を受け、王妃の座を期待するアン。そうこうするうちに妊娠し、1533年には前の王妃に替わって正式な王妃となり、戴冠式が盛大に行われた。国民は祝ったが、内心では成り上がりで高慢なアンをきらっていたという。

同年の9月、アンは後に**エリザベス1世**（▼120）となる女の子を出産したが、その後産んだ男の子は死産。あと継ぎが生まれなかったことで、アンはヘンリ8世の愛情を失っていく。そのうち不倫の罪をこじつけられてロンドン塔に幽閉され、死刑が宣告された。

1536年、アンの首が切り落とされた。イングランド伝統の斧ではなく、フランスの伝統にしたがい、剣で行われたという。

これがわたしの運命なのね…

ヘンリ8世(▼114)の死後、イングランドではその長男**エドワード6世**が即位。しかし、エドワードは病弱で、15歳で亡くなってしまう。

後継者として指名されたのが、当時15歳の**ジェーン・グレイ**だった。母方の祖母が元国王ヘンリ7世の娘にあたることから、王位継承の資格があったジェーン。語学に堪能で、幅広い知識と美しさを備えた少女だった。

しかし、ジェーンの王位継承は、彼女の周囲の人々が権力ほしさに勝手にすすめたことであり、当の本人は何が起こっているのかよくわかっていなかった。そのため権力抗争の末にうばった王位を自分が継承するのだと告げられると、おどろきのあまりその場にたおれこんだという。

女王となったジェーンだったが、即位からわずか9日後、**メアリ1世**(▼118)によって王位を追われ、ロンドン塔に幽閉されると、6か月後に死刑になった。運命を受け入れるかのように、取り乱すことなく首を切り落とされたという。

プロテスタントなんてダイキライ!

ヘンリ8世(▼114)の娘、**メアリ1世**。前女王**ジェーン・グレイ**(▼117)を追いやってイングランド王位についたのは37歳のとき。語学にすぐれ、ダンスを好み、スタイルがよく、威厳ある声も魅力だった。

カトリック信者だったメアリは、イギリス国教会のプロテスタント式礼拝をすすめられたとき、「わたしの魂は神のものであるから、信仰を変えるつもりはない」と断言。そして、カトリック教会を復活させる一方で、プロテスタントに激しい圧力を加えた。

カトリック以外を禁止する法律を制定すると、プロテスタントの人々を火あぶりの刑にしてしまう。その数は300人にものぼったといわれ、後世では「血まみれのメアリ(ブラッディ・メアリ)」とよばれるようになった。

スペイン王国皇太子**フェリペ2世**(▼128)と結婚したが、子どもには恵まれず、夫もスペインにいて不在がちのため、精神が不安定になったメアリ。病気がすすみ、この世を去った。

カトリックとプロテスタント

ローマ教会を中心としたカトリックと、宗教改革によって生まれたプロテスタントでは、いろいろなちがいがある。

反発から生まれたプロテスタント

16世紀、カトリック教会への反発から、宗教改革が始まった。この宗教改革によって生まれたキリスト教の新しい宗派がプロテスタント。

ヨーロッパでは、国によってカトリックかプロテスタントかに分かれ、それが争いの原因にもなった。イタリア、スペイン、フランスなどはカトリックが多く、ドイツ、イギリス（イギリス国教会）やオランダ、スウェーデン、アメリカなどはプロテスタントが多い。キリスト教の主な宗派のひとつとして、東欧やロシアを中心とした東方正教会もある。

	カトリック	プロテスタント
職名	司祭（神父）…指導する役割	牧師…まとめる役割
儀式	典礼	礼拝
歌	聖歌	賛美歌
考え	ローマ教皇中心（教皇の言葉や指導にしたがう）	聖書中心（聖書の教えを信仰する）
十字架	キリストと十字架	十字架のみ
聖人	認めている	認めていない
聖母マリア	キリストと同じように神格化されている	人としてあつかわれている
教会	荘厳	比較的簡素なホール
離婚	認められていない	認められている
※地動説	否定している	否定している

※ **地動説**：太陽の周りを地球がまわっているという学説。

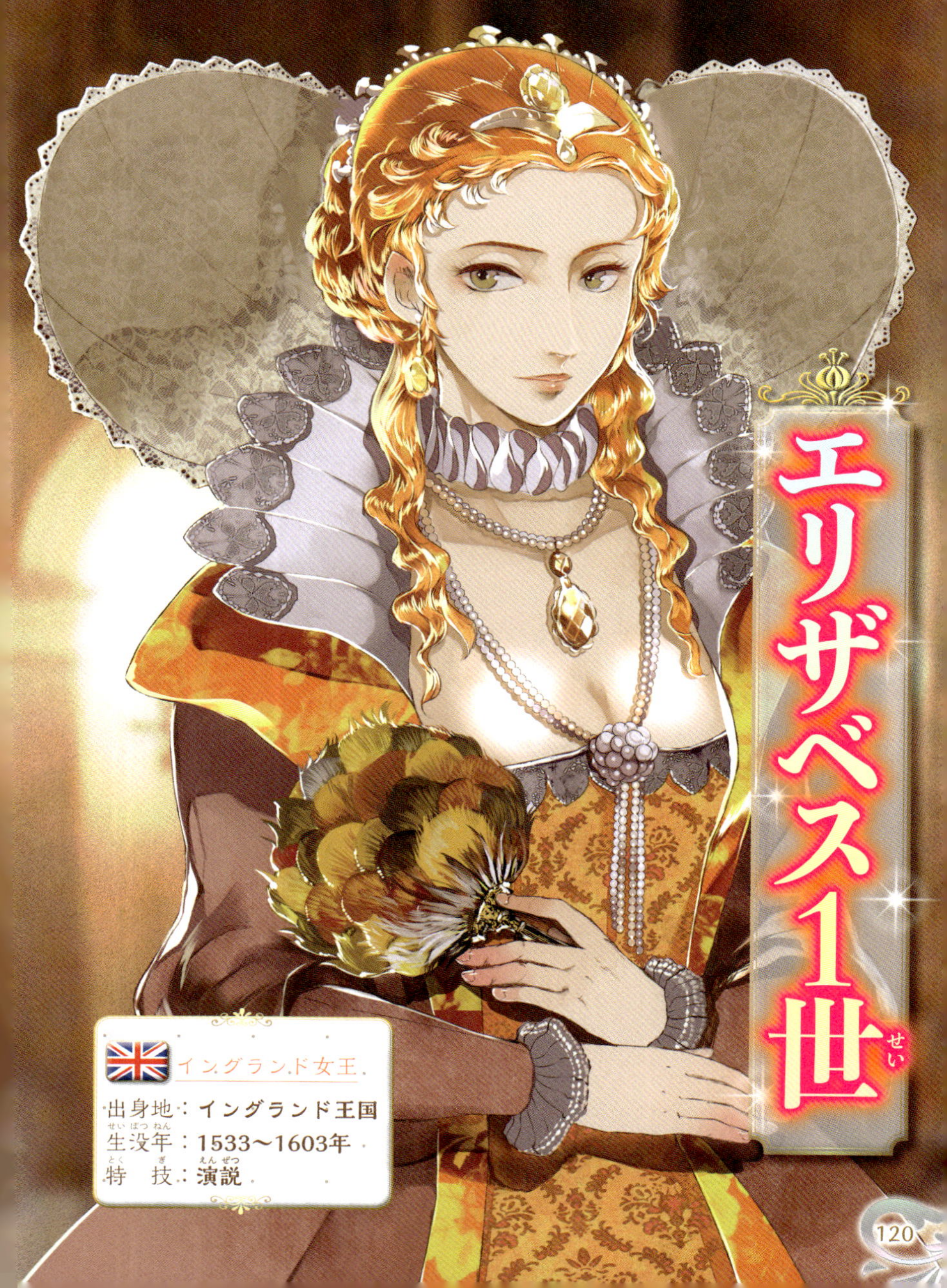

エリザベス1世

イングランド女王

出身地：イングランド王国
生没年：1533〜1603年
特　技：演説

何としても生き残る！

ヘンリ8世（▼114）とアン・ブーリン（▼116）の間に生まれたエリザベス1世。父の死後は不幸な時代がつづき、メアリ1世（▼118）が女王のときには、ロンドン塔に幽閉され、自由のない生活をさせられた。そんな苦難のなか、たくましさを身につけたという。

この国を立ち直らせるのは、わたしよ！

異母姉メアリ1世の死により、25歳でイングランドの女王となったエリザベス1世。このころのイングランドは国力が落ち、一刻も早く国を再建する必要があった。

カトリックを復活させたメアリ1世の政策をやめ、国王を首長とするイギリス国教会にもどした。国外では、※私掠船による海賊活動の奨励や、新大陸での植民地獲得を試み、アジアではオランダに先がけて東インド会社を設立し、直接貿易を開始するなど、イングランド発展の基礎を築いた。

決断力があったエリザベス1世は、スコットランドから来たメアリ・スチュアート（▼123）が危険な存在になると判断すると、速やかに処刑。また、人の心をつかむのがうまく、イングランド海軍がスペイン無敵艦隊との**アルマダの海戦**後の最後の戦いに出る直前には演説をして、「戦火の真っただ中で、あなたがたと共に生き、死ぬ覚悟です。わたしの体が無力なか弱い女の体でしかないことは承知しています。けれどもわたしにはイングランド国王としての心と勇気があるのです」と、海軍将兵たちを奮い立たせた。

わたしは国と結婚したの！

生涯独身だったエリザベス1世。その理由については、「国家と結婚している」と語ったとも、「夫をもてば、国家の重要機密事項を打ち明けてしまう危険がある」と答えたともいわれている。一生を国に捧げた女王だった。

※ 私掠船：戦争中の敵国の船をおそい、船や金品をうばうことを国から認められた海賊船。

出身地：イングランド王国
生没年：1552ころ～1618年

処刑台に消えたナイスガイ

エリザベス1世（▶120）がグリニッジ宮殿※の近くを訪れた際、雨上がりのぬかるみに立ち止まる女王を見て、着ていたマントを水の上にさっと広げた男がいた。その名は**ローリー**。女王からナイトの称号「サー」を得ると、植民地獲得のため新大陸へ派遣された。「エル・ドラード」とよばれる、未知の黄金郷を求めさまようが、命令違反でスペイン人を攻撃したため、帰国後に処刑されてしまうのだった。

※**グリニッジ宮殿**：エリザベス1世が生まれた宮殿。

フランシス・ドレーク

出身地：イングランド王国
生没年：1543ころ～1596年

女王に「わたしの海賊」とよばれた男

イングランド政府の許可を受けて、敵国スペインの船をおそって物資をうばう「私掠船」の船長として活躍していた**ドレーク**。**エリザベス1世**（▶120）の援助を受けて航海に出発し、**マゼラン**（▶89）に次ぐ世界一周をはたす。これにより、女王から「わたしの海賊」とたたえられ、ナイトの称号をあたえられた。その後、スペイン無敵艦隊との**アルマダの海戦**では副提督を務め、勝利に貢献した。

女王だって恋がしたい！

スコットランド王**ジェームス5世**の娘**メアリ**。父の死により生後わずか6日で、女王に即位した。フランス皇太子と婚約し、フランス宮廷内で10年間育てられてから結婚するが、夫の死により結婚生活は2年で終わってしまう。このときまだ18歳のメアリは、スコットランドに帰国した。

メアリは23歳で貴族と再婚するも、イタリア人秘書と不倫。夫に不倫相手を殺されると夫と不仲になり、別の貴族と不倫…。そのうちに夫が突然死んでしまう。表向きは事故死だったが、遺体には殺害された形跡があったという。

夫の死に無関心なメアリ。そして、世間のだれもが夫殺しの犯人と疑う不倫相手と、3度目の結婚をした。この女王とは思えないふるまいに、国民の怒りは爆発、25歳で王位から追放された。

メアリはイングランド王国に渡るが、王国側はスコットランドとの関係悪化を恐れてメアリを幽閉。エリザベス女王暗殺未遂の罪をかぶせられ、処刑されるのだった。

演劇史に名を残す巨匠

家庭を捨ててでも、俳優をめざす！

畜産業を営む家庭に生まれた**シェイクスピア**。少年のころから、手伝いを頼まれると、ひと芝居うってから取りかかるなど、演劇の才能を見せていた。18歳で結婚をして子どもをさずかるが、やがて故郷と家を捨ててロンドンへ行き、劇団に入った。劇団で舞台に立つようになると、やがて劇作家として作品を書くようになり、『ハムレット』『オセロ』『マクベス』『リア王』『ロミオとジュリエット』など、数々の名作を世に送り出す。

「生きるべきか、死ぬべきか。それが問題だ」（『ハムレット』）、「自力で何とかできることを、人はしばしば運命のせいにする」（『オセロ』）、「恋は盲目」（『ヴェニスの商人』）、「この世はすべて舞台、男も女も役者にすぎぬ」（『お気に召すまま』）などの名ゼリフを織り交ぜ、当時の社会や人間を赤裸々に描いた。

その後の演劇に大きな影響をあたえたことから、世界史上で最高の劇作家といわれている。

万有引力の発見者

アイザック・ニュートン

インングランドの物理学者、天文学者

出身地：イングランド王国
生没年：1642～1727年
特　技：研究

研究しだすとまさに変人

10代前半まで劣等生だった**ニュートン**だが、バカにされたのをきっかけに猛勉強し、学年で一番になった。

大学を卒業後、物理学・数学・天文学の研究にはげみ、「すべての物には、物どうしを引き寄せ合う力がある」という**万有引力の法則**や、運動の3法則などを発見した。

研究しだすと自分の世界に入ってしまうニュートン。ゆで卵をつくろうとして懐中時計をゆでたり、「ストーブが熱い、消してくれ」と使用人に頼んだら、「ストーブから離れて座ったらいかがですか」と返されたりしたことも。ただ、この集中力こそが、発見につながったのだった。

その後は造幣局長官となり、莫大な財産を築いた。また、科学者として初めて「ナイト（騎士）」の称号をあたえられている。

ひみつのエピソード 万有引力とリンゴ

万有引力の発見について問われたとき、「それまで色々と考えていたのですが、リンゴが自然に木から落ちたときにうまく結びついた」と答えている。リンゴを落として調べたわけではない。

王様だけど何もしないからね

1714年、大ブリテン王国(もとのイングランド王国)で**アン女王**が死去すると、代々つづいた正統な血筋が途絶え、国内に王位継承の資格をもつ者がいなくなってしまった。そこでむかえ入れられたのが、王家の遠縁に当たるドイツにいた**ジョージ1世**だった。

54歳にして異国へやってきたジョージ1世は全く英語が話せず、性格も地味。群衆の前にも王家の行事にも姿を見せず、政治にも関心を示さない、形だけの王だった。その結果、「君臨すれども統治せず」という※立憲君主制や、内閣が政治の中心となる制度が成立。議会政治の原型ができあがった。最後は急な病で死去。国民だれひとり死を悲しまなかったという。

〈イングランド王位継承の流れ〉

1603年にエリザベス1世(▶120)が未婚のまま死去すると、スコットランドの王が即位。その後革命で混乱したが、1660年、チャールズ2世により王政が復活。名誉革命を経て、1707年、イングランドとスコットランドが合同し、大ブリテン王国が誕生。アン女王死後、ジョージ1世が国王となった。

※**立憲君主制**：憲法によって君主（国王）の権力が制限されている政治制度。

コラム

16世紀の貴族のファッション

大航海時代の真っただ中の16世紀ごろ、貴族の間ではスペイン風のファッションが流行した。

女性らしさ、男性らしさを強調

15世紀に始まった大航海時代の中心はスペインだった。16世紀にハプスブルク家の神聖ローマ皇帝・カール5世がスペイン国王を兼ねるようになると、スペインが時代の最先端を行く国と認められ、ヨーロッパ全土でスペイン風ファッションが流行した。

スペイン風のファッションは、女性らしさや男性らしさを強調し、とても華やかだった。しかし一方で、当時の人々はアメリカ大陸から伝わった梅毒に感染することを恐れ、年に2回程度しか風呂に入らず、香水を使って体臭をごまかしていたという。

女性の服装

ラフとよばれる大きな襟をつけ、ヴェルチュガタンという丸い枠をつけてスカートをふくらませ、女性らしさをアピール！　腰はコルセットできつく締めていた。

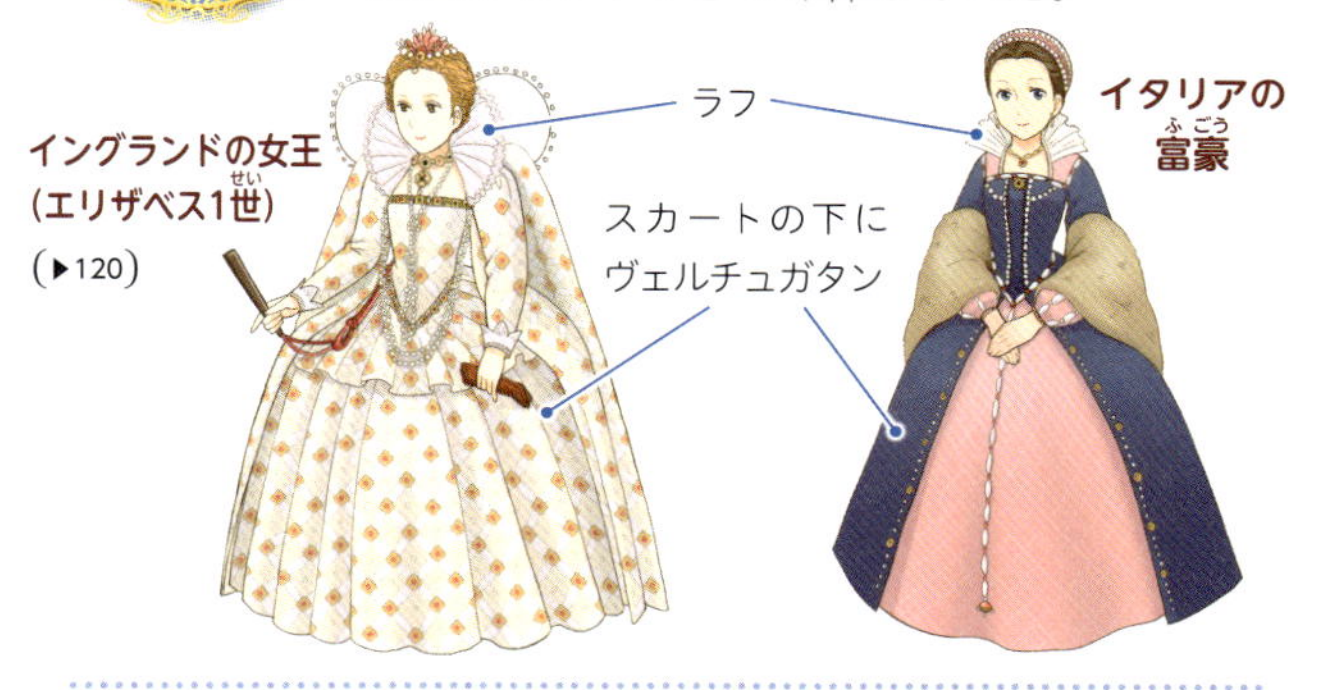

男性の服装

イングランドの国王
(ヘンリ８世)
(▶114)

オーバージャケット

プールポワン(ダブレット)

長いくつ下

男性は、プールポワンというひざ丈の服。その上に詰め物をして逆三角形のシルエットをつくり、男らしさを強調！　襟にラフをつけることもあった。

スペイン王国最盛期の王
フェリペ2世
スペイン国王
出身地：スペイン王国
生没年：1527〜1598年
性　格：慎重にして冷徹

我が国は永久不滅の太陽だ！

1556年、父の退位により、スペイン国王に即位した**フェリペ2世**。1571年には、ヨーロッパ進出を試みるトルコのオスマン帝国海軍を**レパントの海戦**で破り、地中海を支配した。

その後、ポルトガルを併合。新大陸のメキシコやペルー、フィリピンなど東南アジアの国々を植民地にし、そこから入る莫大な富により、「太陽の沈まぬ国」とよばれるスペインの黄金期をつくりあげた。フィリピンの国名は、フェリペ2世の名前に由来する。

また、日本からヨーロッパへ初めて派遣された、イエズス会の学校に通う4人の少年**「天正遣欧少年使節」**をむかえ、面会している。

我こそがカトリックの王だ！

ヨーロッパの国々は、カトリック**ルター**（▶112）の宗教改革以来、カトリックとプロテスタントに分かれていた。スペインはカトリックであったため、フェリペ2世は「我こそはカトリックを担う王」と言い、プロテスタントの国々と対抗した。しかし、支配下にあったオランダが独立を図り反乱すると、スペインの国力は弱まっていくのだった。

あの太陽の輝きはもう取りもどせぬか…

オランダの独立を支持する**エリザベス1世**（▶120）のイングランド王国と対立したフェリペ2世。1588年、当時「無敵艦隊」とよばれていた海軍を派遣して**アルマダの海戦**で戦うも、**ドレーク**（▶122）ら率いるイングランド海軍に大敗。その後も国力のおとろえを止められないまま、この世を去った。

ひみつのエピソード エリザベス1世とのヒミツの関係

イケメンのフェリペ2世は、皇太子のとき、イングランド女王メアリ1世（▶118）と結婚していた。しかし、うまく合わずに別れると、その後、今度はメアリ1世の妹、エリザベス1世（▶120）に求婚。しかし、フラれてしまい、のちにアルマダの海戦で戦い、敗れるのであった…。

カリスマ性あふれる総司令官

スペイン王**カルロス1世**とドイツの平民の女性との間に生まれた**ドン・ファン・デ・アウストリア**。スペイン国王**フェリペ2世**(▶128)とは異母兄弟の関係になる。

このころは、王の正妻以外の子は平民として育てられるのがふつうであり、ドン・ファンも母親と暮らしていた。しかし、母親が子育てをせず、スペインに引き取られた。父の死後、異母兄のフェリペ2世から王族として認められると、軍務につき、頭角を現す。

ヨーロッパをおびやかすオスマン帝国海軍を攻撃するために、ローマ教皇庁・ヴェネツィア・スペインの連合艦隊が組まれると、フェリペ2世からカリスマ性を見込まれ総司令官に任命されたドン・ファン。このときわずか24歳。この期待に応え、1571年、**レパントの海戦**でオスマン帝国海軍を見事撃破した。

その後ネーデルラント（のちのオランダ）総督となりプロテスタントとカトリックの対立を収めようとするが、突然の病で死亡した。

負傷しても、投獄されてもあきらめない！

スペインの農村に、貧しい外科医の息子として生まれた**セルバンテス**。1571年、兵士のひとりとして**レパントの海戦**に参加。運悪くマラリアにかかるが、「神と国王のために名誉の戦死をしたい」と高熱をものともせず戦った。しかし、負傷がもとで左腕を切断。それでも「右手の名誉を高めるために左手を失った」と言い、キリスト教を守る戦いで受けた名誉の負傷を誇っていた。

退役後、海賊に捕まり奴隷となるが、5年後に解放されてスペインに帰国。以前から興味があった文筆活動をしつつ、海軍の食料集め係、滞納税金の取り立て人などをして暮らしていた。しかし、戯曲や小説などを書いたが売れず、銀行のお金の持ち逃げに関わった疑いで投獄されてしまった。

出所後58歳のとき、ついに数々の苦労が報われる。騎士道物語をおもしろおかしく描いた冒険小説『ドン・キホーテ』が大ヒット。スペイン文学界に不朽の金字塔を打ち立てたのだった。

カリブの海賊

16世紀以降、ヨーロッパからの交易船がさかんに行き来していたカリブ海では、交易品をねらって多くの海賊が略奪を行っていた。

海賊はなりたい職業のひとつ!?

大航海時代以降、世界中の海で交易がさかんに行われ、船には砂糖や香辛料、金銀などの貴重な交易品が大量に積まれていた。これらの交易品をねらって、交易船をおそう海賊が各地に現れた。とくに、新大陸と交易をするスペイン船をねらったのが、カリブ海周辺に現れた海賊だった。

当時、海賊の略奪は商売のひとつで、うばったものを売り、金をもうけた。そのため、一攫千金をめざし、海賊になるものが多かった。また、海賊の中には、イングランド王室の正式な許可を得て略奪を行う「私掠船」もあった。

エドワード・ティーチ ▶134

海賊「黒ひげ」。あまりの残虐さに、史上最も有名な海賊といわれている。

メアリ・リード ▶136

数々の武勇伝と女同士の友情で名を知られる、男勝りな女海賊。

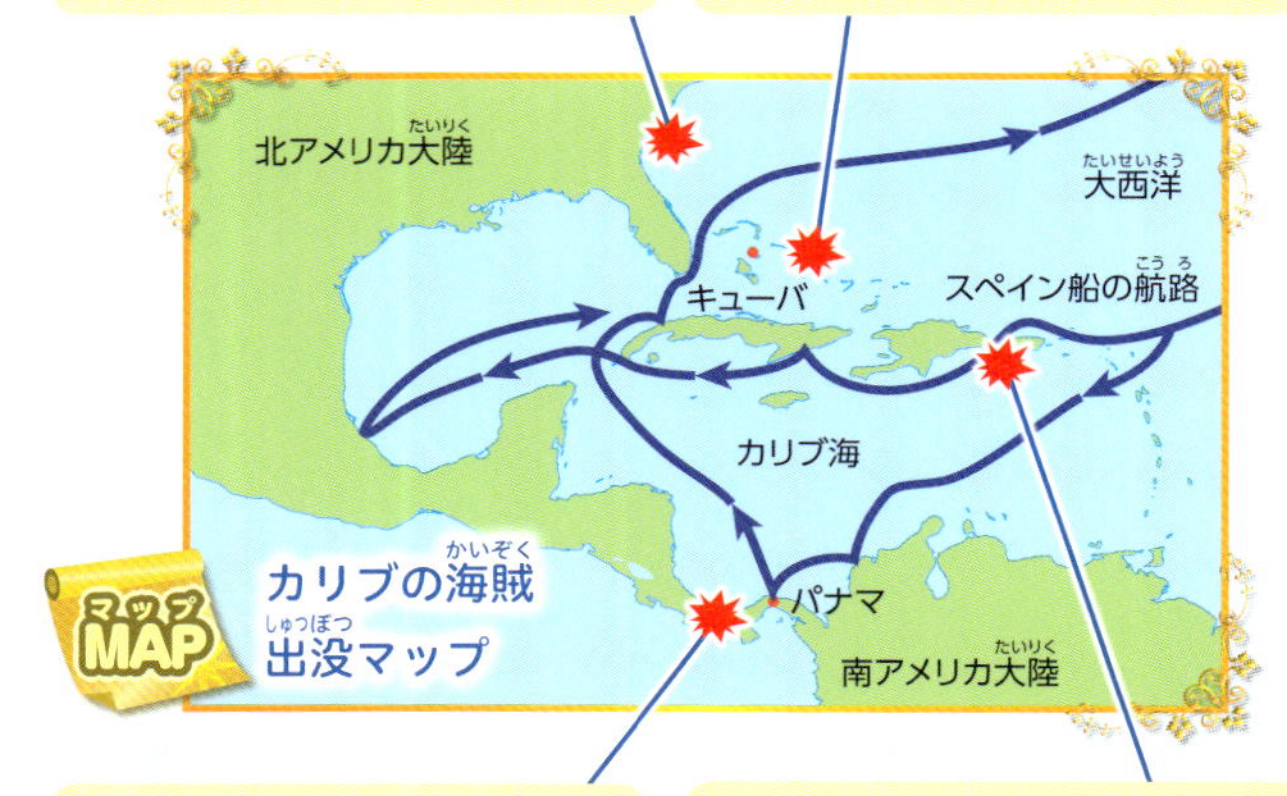

カリブの海賊出没マップ

ヘンリー・モーガン ▶133

パナマで海賊史上最大規模の略奪を行った男。のちに海賊を取り締まる立場に変わった。

フランシス・ドレーク ▶122

イングランド女王の指示で、スペインの船や植民地などを次々とおそい、「ドラコ(ドラゴン)」と恐れられた男。

海賊を取り締まった元大物海賊

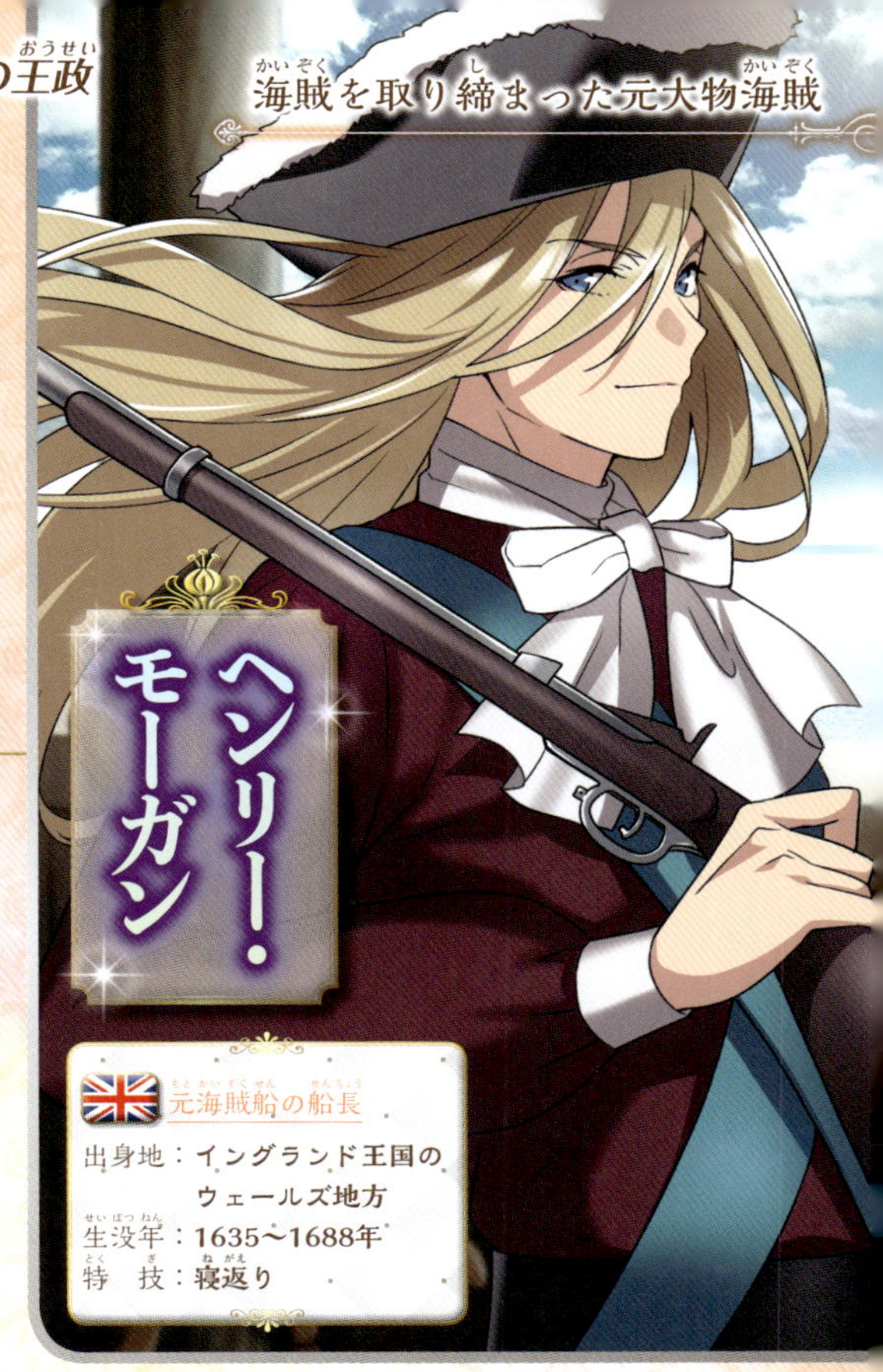

元海賊が海賊をつかまえる!?

ウェールズ地方の裕福な家に生まれた**ヘンリー・モーガン**。家業を継ぐ意思がなく、成長すると大西洋を渡って新大陸へ行き、海賊一味に加わった。

モーガンは海賊のリーダーにのし上がると、カリブ海の島々や、中央アメリカの都市を次々とおそった。「世界最大の金銀市場」とされていたパナマ市を、2000人の海賊を率いて襲撃し、莫大な財宝を強奪。海賊モーガンの名は新大陸で一躍有名となった。

ところがこの直後、モーガンの運命は大きく変わる。イングランド王国から「ナイト」の位をあたえられ、海賊の取り締まりを任されたのだ。モーガンの動きを封じ込めたいイングランドの苦肉の策だったが、「海賊も潮時かな」と考えていたモーガンはこれを受けた。

モーガンは任務をよくはたしたが、海賊たちからは「裏切者」とよばれ、役人たちからは「元海賊のくせに正義漢ぶるな」ときらわれた。結局、モーガンは職を失い、最後はアルコール中毒で死亡した。

オレ様が海賊「黒ひげ」だ！

海賊船長**エドワード・ティーチ**。トレードマークは顔全体を覆って垂れ下がる黒ひげだ。いくつもの束に編み、リボンを結んでいた。

ティーチは船をおそうときはよく、ひげの下に火縄を結びつけ、火をつけたという。すると、黒いひげに覆われた顔がさらに煙に覆われ、その中から血走った赤い目がギラギラとうかび上がるのだった。その異様な風貌から、「黒ひげティーチ」とよばれ、カリブ海で大いに恐れられた。

ティーチは正真正銘の狂人であり、敵味方関係なく牙をむいた。あるときは酒を飲んでいて、いきなり手下の足をピストルで撃ち抜いた。「何でこんなことを…？」と問う手下に対しティーチは、「ときには手下のひとりも殺しておかねえと、テメエたちはオレ様がだれだか忘れちまうだろうが」と言い放ったという。

1718年、海賊取り締まり当局との戦闘で戦死。約2年と短い海賊活動にもかかわらず、史上、最も有名な海賊となった。

下着はもちろんキャリコだぜ！

海賊船長**ジョン・ラカム**。その、くわしい出身地や生年月日は知られていない。

新大陸のカリブ海にやって来て海賊となり、とある海賊船の舵取りになったが、まもなく船長と大ゲンカ。これを機に独立した。

ラカムは花や鳥などの美しい模様を描いて染めた綿布「キャリコ」をとても気に入っており、下着はすべてキャリコ製だった。そのため、海賊仲間たちからは「キャリコのジャック」とよばれた。ジャックはジョンの愛称である。

海賊の取り締まりが強まるなか、当局の目を盗んでカリブ海の島々を転々としつつかせぐジョン・ラカム。しかし、あるときついに取り締まり船に見つかってしまう。

酒を飲んでベロベロに酔っていたラカムは、船倉に逃げ込むことしかできず、奮戦する**アン・ボニー**や**メアリ・リード**(▼136)から「男らしく出てきて戦え」と罵られる始末。結局、なすすべなく捕まり、妻のアンに罵声を浴びせかけられながら、絞首刑となった。

アン・ボニー

恋多き女海賊

出身地：アイルランドのコーク州
生没年：不明

イイ男を見ると放っておけない**アン・ボニー**。酒場で出会った**ジョン・ラカム**（▼135）に一目ぼれし海賊の妻となり、男装して海賊船に乗ることに。海賊取り締まり船におそわれると、泥酔した夫を罵りつつ奮戦。夫が絞首刑にされる際には「あんたが男らしく戦っていたら犬みたいに吊るされずに済んだんだよ」と悪態をつきつつ見送った。ラカムの子を身ごもっていたため、処刑はされずに生き残った。

メアリ・リード

最も勇敢な女海賊

出身地：イングランド王国のロンドン近郊
生没年：不明

家庭の事情で男として育てられ、軍人生活をしていたが、**ジョン・ラカム**（▼135）に捕まった末、海賊一味に加わった。船中で最も勇敢な海賊であり、臆病な仲間は容赦なく射殺した。男と勘違いして言い寄ってきたラカムの妻**アン・ボニー**とは大親友となり、海賊取り締まり船におそわれたときはふたりで猛烈に抵抗し戦った。その時、命はたすけられたが、獄中で熱病にかかり、病死した。

男装した女海賊アンの船に美青年が乗り込んできた
メアリ
ずいっ
あんた、かっこいいね！
アン
オレとつき合わないか？
ちがいっ…
こう見えてオレ、女なんだ
ごめん
実は…ボクも女なんだ
えっ!!
おまえも男装なのか!?
じゃ
女どうしがんばろうな
俺の女に
ちょっかい出してんのはおまえか？
ラカム
おいっ!!
ボクも女なんだけど
えっ…!!
こうしてラカムは女海賊ふたりを引き連れることになったのだった

戦おう！ネーデルラントのために

貴族の家に誕生したウィレム1世。オラニエ公を継いだ後、スペイン国王フェリペ2世(▼128)に見込まれ、スペイン領ネーデルラントのうちの3州の統治を任された。ルター(▼112)らの宗教改革の影響によりネーデルラントはプロテスタントが主流となっていた。ウィレム自身はカトリックだったが、「信仰は人の自由」と考え、プロテスタントを受け入れていた。

しかし、フェリペ2世はネーデルラントにカトリックを強制しようとした。「人の良心を強制的に変えさせるべきではない」との思いから、ウィレムは猛烈に抗議。ドイツへ追い出されてしまう。

ネーデルラントのために戦う決意を固めるウィレム1世。抵抗勢力に合流すると、カトリックからプロテスタントに改宗し、スペインからの独立戦争を指導した。

スペインの激しい圧力の前に、複数の州が抵抗運動をあきらめるなかも戦いつづけ、1581年にネーデルラント連邦共和国（オランダ）の独立を宣言したのだった。

戦争は科学だ！

わずか16歳でスウェーデン国王に即位した**グスタフ・アドルフ**。トレードマークは生まれながらの金髪とあごひげ。語学堪能で、信仰心のあついプロテスタントだが、激しい気性の持ち主だった。

軍人としてきわめて優秀だったグスタフ・アドルフは、戦争は科学的に行うものと考えていた。それまで注目されていなかった兵学や地図製作などに力を入れ、機動力に富んだ軍隊をつくり上げた。砲兵隊の速射能力はヨーロッパでも群を抜き、彼の率いる最新鋭の軍はどんな敵にも力を発揮した。

祖国スウェーデンの繁栄と安全のため、周辺諸国に軍事遠征を行って一大勢力を築き、「北方の獅子王」とよばれるようになった。ドイツで「三十年戦争」が起こると、ドイツ（神聖ローマ帝国）が領土に進入してくることを警戒し、戦いを挑んだ。決戦は1632年11月16日。戦いはスウェーデン側の勝利に終わるが、グスタフ・アドルフは霧の中で味方を見失い、敵に撃たれ、壮絶に戦死した。

哲学好き、男装好きな女王
クリスティーナ
スウェーデン女王
出身地：スウェーデン
生没年：1626～1689年
趣　味：哲学

わたし、イケメンかしら?

グスタフ・アドルフ(▼139)の娘**クリスティーナ**。父が「三十年戦争」で戦死したことにより、わずか6歳でスウェーデンの女王に即位。男の子をほしがっていた父から、王子として育てられたこともあり、男装をしてすごし、乗馬や狩猟を好むなど活発だった。

戦争はやめましょ!

最初は宰相のたすけを借りていたが、18歳になると自分で政治を行い、ドイツ(神聖ローマ帝国)との「三十年戦争」の収拾に乗り出した。スウェーデン国民は女王を臆病者とよんだが、クリスティーナの意志は固く、父ゆずりのすぐれた政治力で戦争を終わらせた。

哲学っておもしろい!

フランスを訪れたときに哲学のとりこになる。「われ思うゆえにわれあり」の言葉で知られる哲学者**デカルト**をフランスからまねき睡眠時間を削ってまで猛勉強。「玉座の女性哲学者」とよばれた。

ただ、経済感覚はズレていて、美術品の買い集めや、仮面舞踏会の開催などで、財政を悪化させた。

わたし、女王から卒業します!

1654年、28歳になっていたクリスティーナは、突然女王をやめると宣言。「あと継ぎを産むために結婚するのが嫌だった」などの憶測が飛び交ったが、本当の理由を知る者はいない。

その翌年、クリスティーナはプロテスタントからカトリックに改宗。晩年はローマ教皇に守られつつ、学問・芸術の保護者として穏やかにすごした。

ひみつのエピソード レズビアンだったかも?

男装を好みドレスは着用せず、結婚相手に浮上した男性との婚約を拒みつづけ、生涯独身を貫いたクリスティーナ。そのため、レズビアンとうわさされているが、定かではない。

フランスはわたしのものよ！

イタリアの名門メディチ家に生まれた**カトリーヌ・ド・メディシス**。母親がフランス貴族の娘だった縁で、フランス皇太子と結婚。

皇太子が**アンリ2世**として即位したため、フランス王妃となった。

しかし、アンリ2世は不慮の死をとげる。その後の王位は3人の息子に継承されるが、母親のカトリーヌが権力を握りつづけた。

フランスは当時、プロテスタントとカトリックの対立に頭をかかえていた。カトリックの立場から和解をはかるカトリーヌは自分の娘をプロテスタントの名門家と結婚させようとした。しかし、その会場でプロテスタントの大虐殺が発生。**「サン・バルテルミの虐殺」**とよばれる大事件となった。

カトリーヌは黒幕と疑われたが、その後も政治を主導しつづけた。

ひみつのエピソード　フランス料理はわたしのおかげ！

イタリアで生まれ育ったカトリーヌは、フランス王妃になってからも、宮廷にイタリア人シェフを連れてきて料理をつくらせた。その料理が発展し、現在のフランス料理が生まれたといわれている。

ヴェルサイユな日々①
バロック様式

ルネサンスが終わったあと、16世紀から18世紀にかけて、ヨーロッパではバロック様式とよばれる美術・建築様式が流行した。

華麗で豪華なバロック建築

15世紀末に始まったイタリア戦争※で、イタリアの金満都市フィレンツェが没落し、ルネサンス芸術を支えていたパトロンは、フランスへと流れた。その結果、フランスにイタリアの文化が受け継がれ、発展した。

バロックとは「ゆがんだ真珠」を意味し、権力の誇示のため、過剰なまでに豪華な装飾がなされた。フランス国王**ルイ14世**(▼144)によってつくられた**ヴェルサイユ宮殿**は、バロック建築の代表作ともいわれている。部屋の中は彫刻や絵画で埋め尽くされた。

絵画では、**カラヴァッジョ**(▼106)の影響を受けた、明暗のはっきりした色彩で、人々の様子や風景を題材とした絵が多く描かれるようになった。

ヴェルサイユ宮殿

ルイ14世の命令で、1682年に建てられた宮殿。1789年のフランス革命まで、フランス国王や王妃、その臣下などが優雅に暮らしていた。

ヴェルサイユ宮殿「鏡の間」

外国からの客をもてなすための部屋。高価な鏡が578枚も飾られ、豪華なシャンデリアが54個もある。来賓のもてなしや舞踏会、儀式のほか、1919年のヴェルサイユ条約締結など歴史的事件の舞台ともなった。

※**イタリア戦争**：15世紀末から16世紀中ごろに起こった、イタリアをめぐるフランスと神聖ローマ帝国の戦い。

フランスの太陽王
ルイ14世
フランス国王
出身地：フランス王国
生没年：1638〜1715年
趣　味：食べること、宮殿づくり

よく食べ、よく働くべし！

1643年に即位し、絶対王政最盛期のフランスに君臨した**ルイ14世**。健康的な大食いで、あまりにもよく食べるので、「王は胃がふたつある」とまでうわさされた。

「すべてを行った」といわれるほど、政務にも精力的に取り組んだ。毎日の生活は、寝起きの時間から、儀式、仕事、散歩、遊び、食事の時間まで、極度に規則的だった。そのため臣下に「ひとつの暦と時計さえあれば、1000キロ以上離れていても、王が今何をしているか当てることができる」といわれていた。

わたしは国家だ！ 太陽だ！

「君主としての権限は神からさずけられたもの。国民は絶対に服従すべき」と、「王権神授説」を主張し、**「朕（わたし）は国家なり」**と豪語したルイ14世。天空に輝く太陽を「道を外さない象徴」として好んでいたため、ヨーロッパ最大の軍を整え勢力が頂点に達すると、「太陽王」とよばれるようになった。

華やかで美しいものを好んだルイ14世は、パリ郊外に**ヴェルサイユ宮殿**（▼143）をつくり、社交場であるサロンをつくった。また、文学・芸術の理解者だったこともあって、フランスはヨーロッパ文化の中心となり、フランス語がヨーロッパの公用語となった。

フランスをヨーロッパ最大の国家にすべく、対外戦争を盛んにしかけたが、しだいに負けが増え、経済は悪化。国民からは密かにきらわれるようになり、孤独のなかで死去した。

ルイ14世
太陽神のコスプレ
太陽をこよなく愛したルイ14世。趣味のダンスでは、太陽神をイメージしたド派手なコスプレをして踊っていたという。

（写真提供：ニューヨーク公共図書館）

王に愛されるためなら何だってするわ！

モンテスパン侯爵と結婚した名門貴族の娘**フランソワーズ・アテナイス**（通称**モンテスパン侯爵夫人**）。結婚の翌年、**ルイ14世**（▼144）の王妃の女官として働いていた際、ルイ14世と出会った。

モンテスパン侯爵夫人は、その美貌で王に近づき愛人のひとりとなるが、それだけでは満足せず、王の心を独占したいと考え、黒魔術に手を染めた。妖術師**ラ・ヴォアザン**にほれ薬を調合してもらい、王の食事に混ぜたのだ。効果があったのか、ルイ14世はほかの愛人に目もくれないようになった。

こうしてモンテスパン侯爵夫人は、晴れてルイ14世の公認の愛人（公妾）となり、王との間に7人もの子をもうけた。

しかし、ラ・ヴォアザンが関わったとされる黒ミサでの毒殺事件の際、モンテスパン侯爵夫人にも疑いがかかると、ルイ14世の夫人への愛情は消え失せた。

しばらくすると、モンテスパン侯爵夫人は宮廷を追われ、修道院長として余生をすごすのだった。

多くの愛人に囲まれた「最愛王」

女好きだが小心者

ルイ14世（▼144）の死によって、わずか5歳で王位についた、そのひ孫、ルイ15世。成長するまでは臣下が政治を代行し、30歳を超えてから、ようやく自分で政治を行うようになった。

しかし、幼いころから甘やかされて育ったためか、何をやらせてもいい加減で長つづきしなかった。また、かなりの小心者で、軍の総大将の夫人が訪れたときは、一言も言葉を発せず、「話しかけようとして10回も口を開けたが、気後れして声が出なかった…」と言い訳している。

そんな王らしくないルイ15世だったが、私生活は奔放で、多くの愛人をもった。しかし、愛人の**ポンパドゥール夫人**（▼148）や**デュ・バリー夫人**（▼150）から、政治に口を出される始末だった。

国内の財政問題は解決できず、対外的にもイギリスとの**「七年戦争」**の末、新大陸（北アメリカ）とインドの植民地をうばわれるなど失敗がつづき、その汚名を返上できぬまま、この世を去った。

ポンパドゥール夫人
ルイ15世の愛人
出身地：フランス王国
生没年：1721〜1764年
性格：誠実

わたしがパリのナンバーワン?!

金融業者の娘としてパリに生まれたジャンヌ・アントワネット・ポワソン（のちのポンパドゥール夫人）。平民階級ながら貴族と同じ教育を受け、王室に納める税を取りあつかう青年と結婚したのを機に社交界にデビューした。

ジャンヌはここで経済界の大物や、文化人などと交流。パリの社交界で最も美しく、最も優雅で、最も教養のある女性ともてはやされるようになった。

王の一声で侯爵夫人に

美しく知的なジャンヌはやがて**ルイ15世**（▶147）の目にとまり、愛人となった。しかし、この段階では私的な愛人にすぎなかった。「宮廷も認める公式な愛人となれるのは貴族の妻のみ」という決まりがあったためだ。

するとルイ15世は、空位となっていたポンパドゥール侯爵の位を復活させ、その領地をジャンヌにあたえた。これによりジャンヌはポンパドゥール侯爵夫人となり、ルイ15世の公認愛人となった。

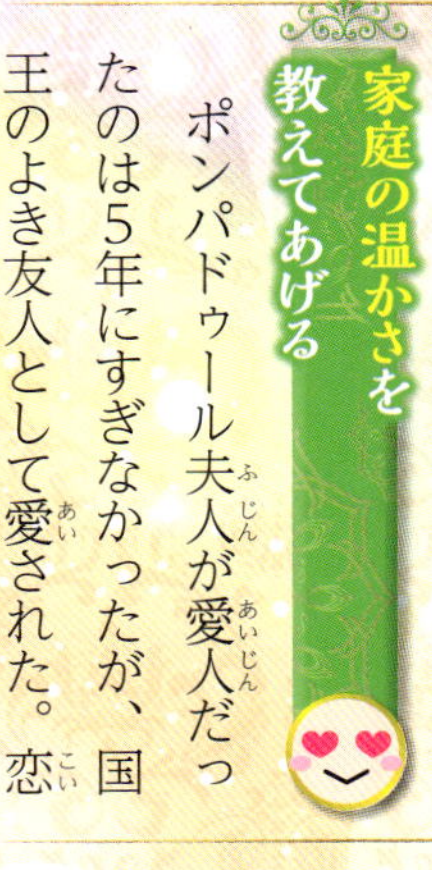

家庭の温かさを教えてあげる

ポンパドゥール夫人が愛人だったのは5年にすぎなかったが、国王のよき友人として愛された。恋心はなくとも、愛情をもって接し、国王の生活に欠けていた「家庭の温かさ」をあたえつづけたためだ。政治にも有能で国王のうらで権力を握っていた。

肺疾患で亡くなったポンパドゥール夫人だが、病の最中も苦しみにたえ、慎みを失わなかったという。ルイ15世は死をとても悲しみ、その後4年間は公認の愛人を置くことはなかった。

ひみつのエピソード　ポンパドール・ヘア

当時の女性があこがれて真似をした、前髪を高く上げたポンパドゥール夫人の髪型は、現在も「ポンパドール」という髪型として残っている。

デュ・バリー夫人

娼婦から国王の愛人へ

修道士の父と、裁縫師の母の間に生まれた**マリ・ジャンヌ・ベキュ**（のちの**デュ・バリー夫人**）。パリで生まれたあと修道院で教育を受け、仕事を転々としたあと、貴族たちの間の高級娼婦となった。客は上流階級ばかり。マリ・ジャンヌはその中で優雅なふるまいや教養を身につけていった。

１７６９年、マリ・ジャンヌは**ルイ15世**（▶147）と出会う。**ポンパドゥール夫人**（▶148）亡きあと気落ちしていたルイ15世は、ひと目で気に入り、貴族と形だけの結婚をさせたあと、**デュ・バリー夫人**として宮廷にまねいた。

デュ・バリー夫人はルイ15世の愛情を後ろだてに宮廷で権力を発揮。ルイ15世のことを心から愛し、幸せな日々をすごした。

しかし、ルイ15世は天然痘で死去。デュ・バリー夫人はヴェルサイユ宮殿を追われイギリスにのがれた。１７９３年に念願かなって帰国したが、**フランス革命**の激動の中で過去の行いを追及され、最後はギロチン刑※に処せられた。

※**ギロチン刑**：ギヨタン（▶185）が発明した首を切断する装置による処刑方法。フランス革命中、頻繁に行われた。

コラム

ヴェルサイユな日々②

宮殿でのカワイイ生活

ヴェルサイユ宮殿では、華やかな貴族の生活が毎日のようにくり広げられていた。

ロココ女子はカワイイが大好き♥

ルイ14世〜16世が国を治めた17〜18世紀、フランスは流行の中心だった。とくに**ルイ15世**(▶147)のころから**ロココ様式**という繊細でカワイイファッションやアイテムが大流行。スタイリストに髪型をセットしてもらい、特注のドレスを着て、毎日のように舞踏会などで自慢のファッションを披露した。

しかしそのうらではこまったことも。当時の宮殿にはトイレがほとんどなく、多くの貴族や使用人はおまるに用を足し、舞踏会に参加する貴族たちも携帯の便器を持参。その中身は宮殿の庭に捨てられていたという…。

貴族の服装

貴族の女性は、髪を結い上げ、スカートの下にパニエとよばれる枠をつけ、スカートを大きく見せた。男性はベストの上にジュストコールという上着を着ていた。

仮面舞踏会

貴族たちは派手な仮面や衣装に身を包み、踊りや会話を楽しんだ。

コラム

ヴェルサイユな日々③ 公妾になるには

公妾とよばれる愛人は、国王の愛情を一身に受けるだけでなく、ときには国王を利用して権力を得ることもあった。

国王の愛人「公妾」

ヨーロッパではキリスト教の影響で、一夫一妻と決まっていた。国王のような権力者であっても、一夫一妻と決まっていた。ただ、公妾という公式に認められた愛人たちがいた。公妾と国王の間に産まれた子どもは貴族として家臣になれ、公妾のなかには国王を通じて、国を動かすほどの大きな力を得た者もいた。

公妾になるには貴族階級にあり、国王に気に入られることが重要だった。そのため、公妾になろうとする人のなかには、貴族に取り入って国王に近づいたり、国王お気に入りの女性を追いやったりする者もいた。

ルイ14世の公妾たち

❶ラ・ヴァリエール

地方出身の貴族の娘。王女の女官となり、1661年に17歳で公妾となった。国王との間に、6人の子をもうけたとされる。

❷モンテスパン侯爵夫人 ▶146

王妃の侍女となり、1666年に公妾となった。国王との間に7人の子をもうけた。

▶144

❸フォンタンジュ

国王の弟の妃の侍女として宮殿に出入りし、1679年に公妾となるが、その2年後に亡くなった。モンテスパン侯爵夫人に毒を飲まされたという説もある。

❹マントノン侯爵夫人

モンテスパン侯爵夫人の子どもの養育係になり、王妃の死後、国王と結婚。政治にすぐれ、国王をたすけた。

「雷帝」とよばれたロシア皇帝

逆らう者は皆殺しだ！

モスクワ大公**ヴァシリー3世**の子**イヴァン4世**。「雷帝」の異名通り、気性が激しく、キレると何をしでかすかわからない男だった。

むち打ちや財産没収などの過酷な刑を習慣化したのもこのイヴァン4世。晩年には、実の息子を口論のあげく、鉄鋲のついた杖で滅多打ちにして殺している。

そんなイヴァン4世がモスクワ大公に即位したのはわずか3歳のとき。大公といっても権力は弱く、しばしば貴族たちから存在を無視された。貴族への憎しみを募らせ成長したイヴァン4世は、絶対的な力を得るべく、1547年に自ら**ツァーリ（皇帝）**の称号を宣言。貴族への圧力を強めるとともに、軍制の改革を推進。また、対外戦争も積極的に行い、中央アジアやシベリアの一部を支配するなど、領土を拡大した。

貴族からは激しい反感をもたれ、陰謀を企てられることもあったが、そのたびに処刑。士族階級が皇帝を支持したこともあり、厳しく激しい支配を生涯押し通した。

偉大なるロシアの大帝

ピョートル1世

ロシア皇帝

出身地：ロシア
生没年：1672〜1725年
性　格：好奇心旺盛

外国から学び、わが国を発展させるぞ！

アレクセイ1世の息子**ピョートル1世**は、身長2メートルを超える巨漢だった。当初は、行事以外に出番のない2番手のおかざり皇帝にさせられていたが、その間に、航海術、大工、印刷工など様々な技術を修得し、自分を磨いた。

兄の死後、正式に皇帝となったピョートルは、変装してオランダの造船所に入り造船技術を学ぶなど、西欧の最先端の情報を集め、近代化をめざした。

ロシアで初めての新聞を発行したり、ロシア貴族の昔からの習慣であるあごひげを切らせたりなど、改革は細部にわたった。スウェーデンとの戦いに勝ちバルト海の覇者となるなどの功績も残し、「大帝」とよばれた。

ひみつのエピソード　ロシア初の日本語学校

日本は当時、江戸時代の鎖国中で、外国との交流はほとんどなかった。しかし、オランダだけは日本と交易をして日本から銀を手に入れていた。そこに目をつけたピョートルは日本語学校を設立。日本文化に通じ、日本語を話せる人材を育て、日本と交易をしようとしたのだった。

プロイセン領シュテッティンの貴族の家に生まれた**エカチェリーナ**。15歳のときロシアにまねかれ、皇太子**ピョートル3世**と結婚。自国ロシアをさげすむ夫とちがい、ロシア語やロシア文化を積極的に学ぼうとするエカチェリーナは、宮廷内で人望を集めた。

1761年末、ピョートル3世が皇帝に即位し、エカチェリーナは皇后となった。しかし半年後、自ら**エカチェリーナ2世**を名乗ると、夫を逮捕。退位と死に追い込み皇帝の座についた。祖国愛をもたない夫に愛想を尽かしたのだ。

エカチェリーナ2世は、貿易に力を入れ、戦争で領土を拡大するなど国力を高めた。芸術にも力を注ぎ、首都ペテルブルグはヨーロッパの主要な文化発信地となった。また、ロシアに漂着した日本人の船頭・**大黒屋光太夫**と対面。使者を派遣して光太夫を日本に送りとどけつつ、徳川幕府に対して開国を要求している。

その在位期間はロシア歴代ナンバーワン。最強の女帝だった。

国も家族も守りたい！

神聖ローマ帝国皇帝を代々継いできたオーストリアのハプスブルク家に生まれた**マリア・テレジア**。トスカナ大公フランツと結婚。その4年後、父である神聖ローマ皇帝が死んだため、マリア・テレジアは23歳の若さでオーストリアの領地を受け継ぐことに。

しかし、近隣諸国がこれに反対し、**オーストリア継承戦争**が勃発。プロイセンに領土の一部をうばわれるが、オーストリアの王位継承権は守ることができた。

家庭も大切にしたマリア・テレジアは、20年の間に何と16人もの子どもを産んでいて、その中には後にフランス王妃となる**マリ・アントワネット**（▼172）もいる。

しかし、夫フランツが急死すると、陽気だった性格は一変。常に喪服を着てすごすようになった。

ひみつのエピソード　1日3回の朝食が日課!?

マリア・テレジアは、毎朝3回朝食をとっていた。1回目は閣僚会議で政治家と共に。2回目は母として子どもと共に。3回目は夫婦で。仕事も子育ても、夫との時間も大切にしていたスーパーレディだった。

「大王」の名にふさわしい男

プロイセン王家に生まれた**フリードリヒ2世**は、父の死後に王位を継承。その容姿は王にふさわしく、人を射るような眼差しをしたイケメンで国を発展させたため、「大王」ともよばれた。

国王に即位すると父の政治路線を受け継ぎ、産業育成と軍備の強化を推進。**マリア・テレジア**(▶156)がハプスブルク家の王位を継承すると反対し、**オーストリア継承戦争**を戦い、領地をうばった。

つづく、オーストリア、フランス、ロシア、ザクセンの4か国を相手にした「**七年戦争**」の際には名将ぶりを発揮。兵の数ではおとるも敵を終始圧倒し、領土を守った。

その一方で、フリードリヒ2世はフランス文化、とくに**啓蒙思想**※を愛し、「君主は国家の第一の下僕である」と言い、国民の福祉向上を口実に、王権強化をはかった。

そんなフリードリヒ2世にも苦手なものがあった。生まれながらの女性ぎらいで、王妃との間に子どもをつくらず、死に際しては甥を次の王に指名したのだった。

※**啓蒙思想**：キリスト教の世界観や封建思想を否定し、人間性の解放をめざす考え。

コラム

貴族社会と楽器

ヨーロッパでは、音楽は教会や貴族のために発達し、音楽の発達とともにさまざまな楽器が生まれてきた。

貴族の文化から生まれた楽器

18世紀中ごろまでのヨーロッパでは、音楽は主に教会でかなでられるもの、または貴族が城や宮殿で楽しむものだった。貴族の集まりでは音楽が演奏され、貴族が作曲家や音楽家のパトロンとなることもあった。

その間、楽器は形を変えていった。古代ローマですでに使われていた水オルガンは、やがて教会のパイプオルガンとなった。また、弦楽器や鍵盤楽器が発展し、18世紀にピアノの原型ができあがった。

このように、現在の複雑な音を奏でられる楽器が生まれてきた。

ピアノ

世界初のピアノは、1709年にイタリア・フィレンツェの**クリストフォリ**によってつくられた。ドイツのオルガン職人**ジルバーマン**は、その技術を受け継いで**バッハ**（▶159）などにピアノを提供した。

クラヴィコード
14世紀に発明された鍵盤楽器。

クリストフォリのピアノ

トランペット

バルブという装置で音を変えられるトランペットは、19世紀初めにドイツでつくられた。改良が重ねられ、1839年にフランスで、現在とほぼ同じ形のトランペットがつくられた。

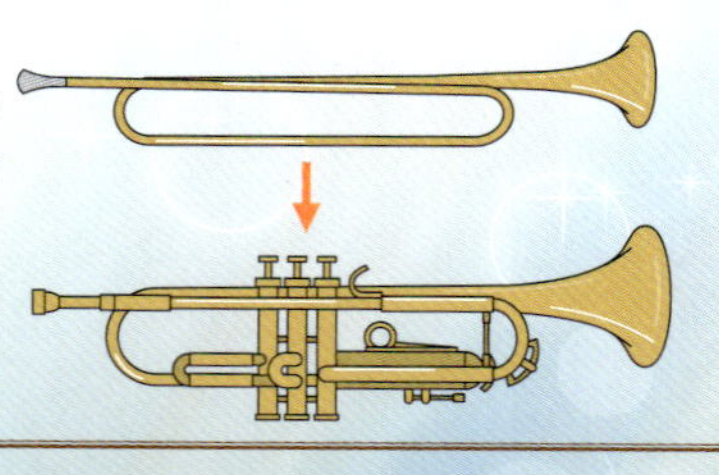
スライド・トランペット
ルネサンス期以降さかんに使われた、管をのばして音の高さを変えられるトランペット。

現在のトランペット

バッハ

「音楽の父」とよばれた作曲家

出身地：ドイツ
生没年：1685〜1750年

ドイツの作曲家**バッハ**。同じく作曲家の長男・次男と区別するため「大バッハ」ともよばれる。200年の間に50人もの音楽家を生み出したバッハ家に生まれ、両親の死後、※オルガニストの兄に引き取られた。ドイツ国内を転々としつつ、「マタイ受難曲」などの教会音楽やオルガン曲、器楽曲を作曲。楽曲の美しさから、**ベートーヴェン**（▶160）はバッハを「和声の父」とたたえ、日本では「音楽の父」とよばれる。

※**オルガニスト**：教会でパイプオルガンをひく演奏家。

モーツァルト

たぐいまれな天才作曲家

出身地：オーストリア
生没年：1756〜1791年

音楽家の家に生まれ、5歳から作曲を開始するなど、幼少時から非凡な才能を発揮した**モーツァルト**。宮廷に音楽家として仕えたが、大司教との衝突を機に飛び出し、ウィーンへ。**コンスタンツェ**と結婚。ふたりとも浪費家で家計はいつも火の車だったという。オペラ曲「フィガロの結婚」などの傑作を生むが、「レクイエム」の完成を前にし、35歳の若さで世を去った。

出身地：ドイツ
生没年：1770～1827年

気の短い「楽聖」

父親から音楽教育を受けて育った**ベートーヴェン**。母の死や父の失業で苦しい青年時代をすごす。故郷を離れオーストリアのウィーンへ行くと、ピアノ演奏で有名に。その後「運命」、「第九」などの名曲を生み出すが、そのうらで難聴に苦しんだ。性格は非常に短気。**ナポレオン**(▼178)をたたえる楽曲「英雄」をつくるが、ナポレオンが皇帝に即位して支配者となると激怒し、おくるのをやめている。

ショパン

出身地：ポーランド
生没年：1810～1849年

ピアノの詩人とよばれたピアニスト

フランス人の父とポーランド人の母の間に生まれた**ショパン**。6歳でピアノを習い始め、わずか8歳で首都ワルシャワの公開演奏を行った。祖国を離れフランスのパリへ行くと、作曲家・ピアニストとして名をはせ「ピアノの詩人」とよばれた。フランスの女流作家**ジョルジュ・サンド**(▼305)との大恋愛も話題に。代表作は「別れの曲」「子犬のワルツ」「幻想即興曲」など。

シューマンを愛したピアニスト

クララ・シューマン

ドイツのピアニスト

出身地：ドイツ
生没年：1819～1896年
特　技：ピアノ演奏

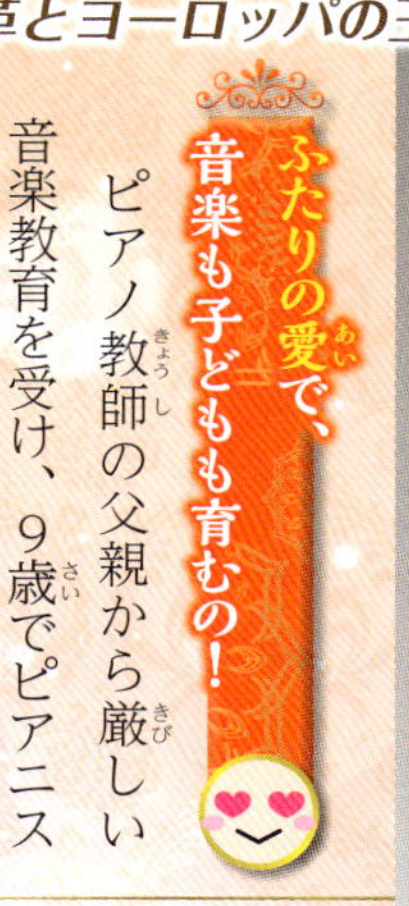

ピアノ教師の父親から厳しい音楽教育を受け、9歳でピアニストとしてデビューした**クララ**。ピアノリサイタルや作曲などに精力的に取り組み、16歳になるとヨーロッパ中で「天才少女現る！」と名前が知られるようになった。

20歳のころ、父親の弟子で9歳上の幼なじみの作曲家**ロベルト・シューマン**の妻になることを決意。両親の猛烈な反対を受けるが、裁判の末に勝利し結婚した。

8人の子どもを産み、育児をこなしつつ、ヨーロッパでツアー公演を行うクララ。また、夫ロベルトも数多くの楽曲を生み出した。

その後、若き音楽家**ブラームス**と出会った夫妻は、ブラームスを気に入り親交を深める。クララはリサイタルで夫の作品とブラームスの作品を演奏。また、**ショパン**(▶160)の曲も演奏している。

夫の死後はブラームスのたすけを借りて夫の全作品集を編集した。1896年にこの世を去ったクララ。あとを追うように、ブラームスも翌年に亡くなった。

生活革命

交易によって世界の一体化が進んだ17～18世紀には、人々の生活がそれまでと大きく変わる生活革命が起こった。

ぜいたく品が庶民に広がる

17～18世紀、ヨーロッパ諸国とアジアやアメリカ大陸との交易がさかんになるにしたがい、たばこや茶、砂糖、コーヒーなどがヨーロッパに大量に入ってきた。

ロンドンではコーヒーハウスや社交の場であるクラブが、パリではカフェが誕生。そこで行われる情報交換から新聞や雑誌が発行されるようになった。

衣服では、それまでの毛織物に代わり、インド産の綿織物が大流行。綿織物の材料である綿花の生産量を増やすため、アメリカ大陸にアフリカから黒人奴隷を連れて行き、綿花を育てさせて輸入するという、「大西洋三角貿易」の流れができあがった。

また、イギリス貴族の間で始まった、紅茶に砂糖を入れる習慣は、やがて豊かになった商人へと広がり、19世紀には一般庶民にまで広がった。

ヨーロッパのおもな輸入品

18世紀初頭のロンドンのコーヒーハウス

イギリスでは17世紀半ばにコーヒーが伝えられ、コーヒーハウスが広まった。コーヒーハウスは情報交換の場となり、新聞や政党がここから生まれていった。

6章 アメリカ独立革命とフランス革命

主なできごと

世紀	年	できごと
18世紀	1732年	北アメリカで、イギリスの13植民地が成立
	1756年	ヨーロッパ各地で**七年戦争**が起こる。イギリスとフランスは植民地をめぐり、北アメリカで戦争を行う
	18世紀後半	イギリスで**産業革命**が始まる
	1769年	**ワット**が動力としての蒸気機関を完成させる
	1773年	北アメリカのイギリス植民地で、**ボストン茶会事件**が起こる
	1775年	**アメリカ独立革命**が始まる
	1776年	**ベンジャミン・フランクリン**(▶168)、**トマス・ジェファソン**(▶170)らが起草した、**アメリカ独立宣言**が発表される
	1783年	**パリ条約**で、イギリスが**アメリカ合衆国**の独立を認める
	1789年	アメリカ合衆国で、**ジョージ・ワシントン**(▶166)が初代大統領に就任
		フランス革命が起こり、**ラ・ファイエット**(▶175)らが革命を指導
	1793年	フランスで、国王**ルイ16世**(▶171)、**マリ・アントワネット**(▶172)が処刑され、**ロベスピエール**(▶176)による恐怖政治が始まる
	1799年	フランスで、**ブリュメール18日のクーデター**が起こり、**ナポレオン・ボナパルト**(▶178)が統領政府を樹立
19世紀	1804年	フランスで、ナポレオンが皇帝に即位
	1805年	ナポレオン、**トラファルガーの海戦**で、**ホレーショ・ネルソン**(▶185)率いるイギリス軍に敗北
	1812年	ナポレオン、**ロシア遠征**で敗退
	1814年	ナポレオン退位
	1815年	ナポレオン、皇帝に復帰するが、「百日天下」に終わり再び退位。セントヘレナ島へ流される

どんな時代だったの?

アメリカ独立革命とフランス革命

アメリカ独立革命

18世紀、北アメリカ大陸には、イギリスやフランスの植民地があった。そのイギリスとフランスとの間で起きた**七年戦争**後、北アメリカで暮らすイギリス人には重い税金がかけられるようになり、本国イギリスへの不満が強まった。

1775年、のちに大統領となる**ワシントン**(▼166)を最高司令官として、イギリスに対する**アメリカ独立革命**が始まった。**ジェファソン**(▼170)らが起草した独立宣言が発表され、戦いには、フランス人貴族**ラ・ファイエット**(▼175)らが、義勇兵※として参加した。そして、1783年、パリ条約が結ばれ、**アメリカ合衆国**の独立が認められた。

MAP 独立革命後のアメリカ合衆国(1783年)

イギリス領カナダ
独立直後のアメリカ合衆国
ミシシッピ川
スペイン領
スペイン領フロリダ
レキシントン
ニューヨーク
フィラデルフィア
ヨークタウン
ヴァージニア
ラ・ファイエット
ワシントン
フランクリン

元イギリス領でアメリカ独立革命で独立した13州

イギリスがフランスから獲得し、その後アメリカ独立革命で、アメリカにゆずられた地域

背景にあるもうひとつの革命 産業革命

18世紀、世界各地に植民地をつくったことで、資源の生産地と製品の輸出先があったイギリスでは、**産業革命**が起こった。織物機械の改良と蒸気機関の発明によって、工場での綿織物の大量生産が可能になった。また、蒸気機関車の登場で、輸送技術も進歩。イギリスは「世界の工場」とよばれるようになった。

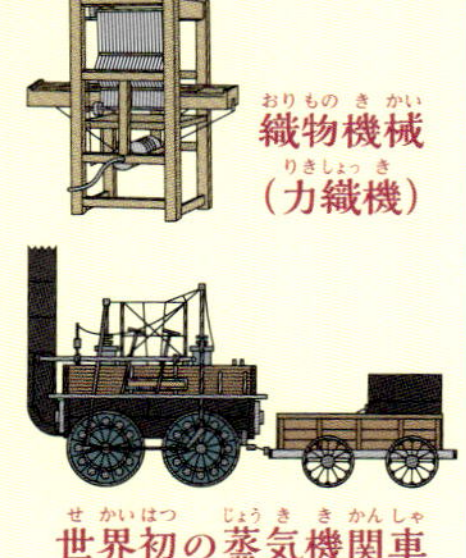

織物機械(力織機)

世界初の蒸気機関車

※義勇兵:軍人としての義務ではなく、自発的に軍に参加する兵士。

フランス革命

一方そのころフランスでも、国王の課税に対する貴族の反抗が起きていた。また、「支配者より、税金をはらう民衆こそがえらい」という**啓蒙思想**の広まりもあり、農民や商人なども、不満をつのらせた。

1789年、パリの民衆がついに暴動を起こし、**フランス革命**が始まる。革命勢力は王政を廃止し、国王**ルイ16世**（▼171）と王妃**マリ・アントワネット**（▼172）を処刑した。

しかし、改革を急ぐ**ロベスピエール**（▼176）らのジャコバン派と、改革をゆっくり進めたいジロンド派が対立し、混乱がつづいた。

ナポレオンの登場

そこで頭角を現したのが**ナポレオン**（▼178）だった。ナポレオンは※クーデターを起こして政権を握ると、1804年に**皇帝**となった。

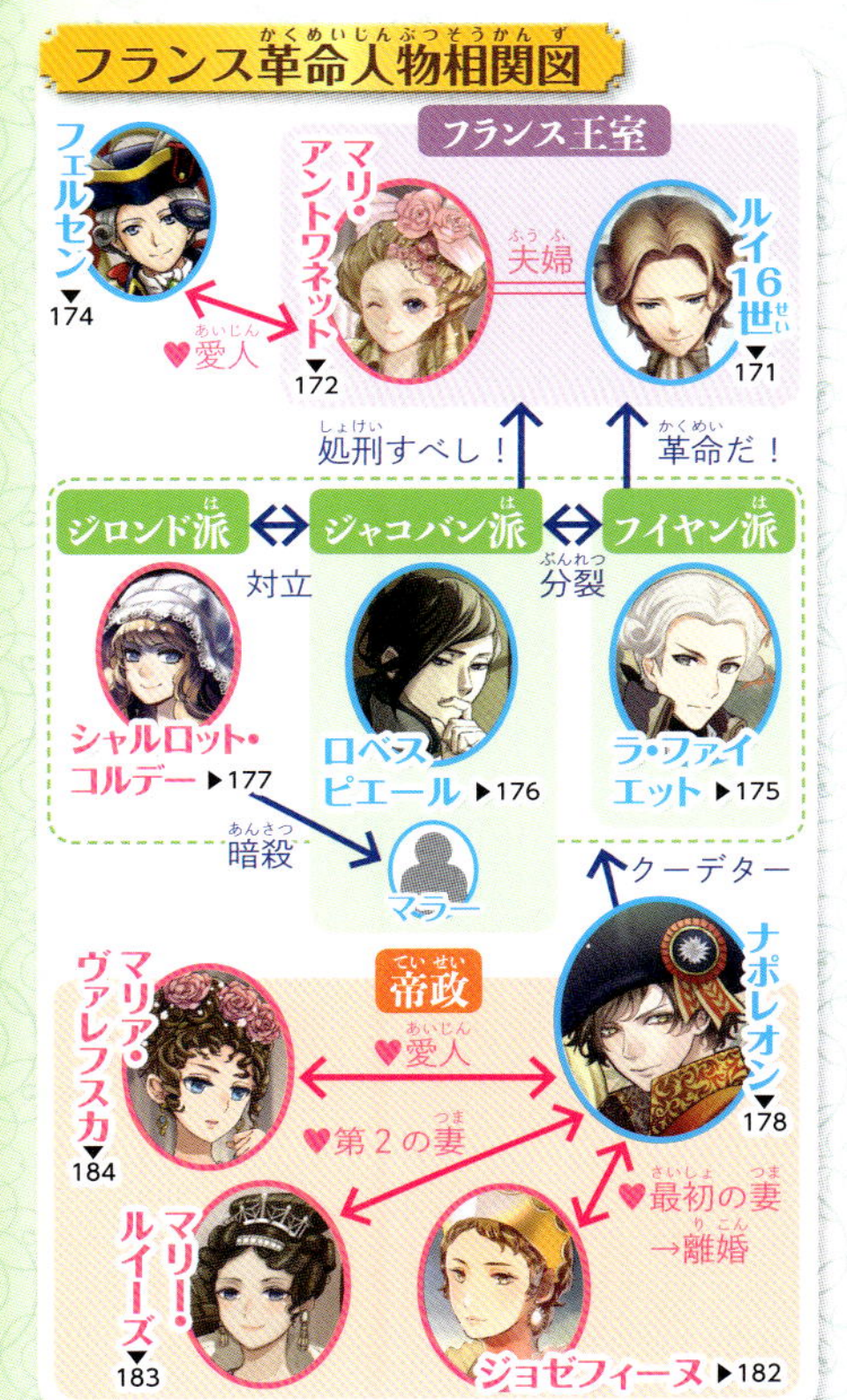

そのころの日本は…江戸時代の「鎖国」中

アメリカ独立革命やフランス革命が起こったころ、日本は江戸時代で、まだ鎖国中だった。

人口100万人をかかえる江戸は世界最大級の都市だった。海外との交易は長崎の出島で行われ、中国の清とオランダに限られていたが、幕府はオランダに「オランダ風説書」を提出させ、海外の情報を入手していた。

※クーデター：武力で政権をうばい取ること。

アメリカの独立をはたした初代大統領
ジョージ・ワシントン
アメリカ合衆国初代大統領
出身地：アメリカ
生没年：1732〜1799年
性　格：正直者

この戦いが終わったら結婚しよう！

北アメリカ大陸イギリス領ヴァージニア植民地に、大農園主の息子として生まれた**ジョージ・ワシントン**。いたずらで桜の木を斧で切ったのを父にかくさず話すなど、正直者として育った。

測量の仕事をしばらく行ったあと、植民地民兵軍の少佐に任命されると、イギリス領植民地への進出をくり返すフランス植民地軍を追い払うなど活躍。危機が去ったのを機会にワシントンは軍をやめると、好意をもっていた**マーサ**にプロポーズ。見事成功し、ふたりは結婚した。

独立を勝ち取ってみせる！

1758年にヴァージニア植民地議会で政治家としてのスタートを切ったワシントン。しかし、1773年の**ボストン茶会事件**※をきっかけに、イギリス本国から圧迫を受け、アメリカに暮らす人々は不満が爆発。「イギリス本国から独立しよう」という声が上がるなか、ワシントンは大陸軍最高司令官に選ばれた。

アメリカ独立革命が始まるが、装備などでおとる大陸軍は、イギリス本国軍相手に苦しい戦いを重ねた。しかし、ひるむことなく戦う総司令官のワシントン。フランス、スペイン、オランダなど、ヨーロッパ各国からの義勇軍の協力を得ると、形勢を逆転。1783年、イギリス本国との間で**「パリ条約」**が結ばれ、北アメリカ植民地は**アメリカ合衆国**となって独立した。

引き際は自分で決める！

1789年に満場一致でアメリカ合衆国初代大統領に選ばれたワシントン。大統領を2期にわたって務めると、「よい政治のためには、ひとりが長く大統領をつづけない方がよかろう」と政界から退いた。その功績をたたえられ、1ドル札の顔となっている。

※**ボストン茶会事件**：イギリスが茶の独占販売権をイギリスの会社にあたえたことへのアメリカ住民の抗議運動。

ベンジャミン・フランクリン
アメリカ独立宣言の起草者
出身地：アメリカのボストン
生没年：1706〜1790年
特　技：あらゆること

みんなの生活を豊かにしたいな♪

イギリスから北アメリカのボストンに移住したロウソク製造職人の息子**ベンジャミン・フランクリン**。かなりの勉強家で、当時のヨーロッパで流行っていた**啓蒙思想**の考えを独学で学んでいた。

その後、印刷所を経営。ユーモアあふれる言葉などを書き添えたカレンダー『貧しいリチャード暦』を出版すると大ヒット。一躍国内外で有名人となった。

フランスさん、協力してよ！

1751年にペンシルヴェニア植民地議会の議員に選出されてからは、政治活動も開始。独立宣言起草委員のひとりとなった。

アメリカ独立革命が始まるとフランスに渡り、パリのカフェで啓蒙主義者たちと交流。フランス国王**ルイ16世**(▶171)やフランスの軍人**ラ・ファイエット**(▶175)らの、武器の支援や参戦を引き出した。また、イギリス人思想家**トマス・ペイン**をアメリカにまねき、市民に独立や国民主権の考えを広めた。

みなさん、まあまあ落ち着いて

アメリカの独立が決まった**パリ条約**締結のときには政府代表の一員として加わり、憲法制定会議にも出席。高齢で議論に参加する体力がなかったが、ユーモアと知性で会議をよくまとめたという。

フランクリンは盟友**ジョージ・ワシントン**(▶166)が初代大統領に就任した翌年、静かに世を去った。功績をたたえられ100ドル札の顔となっているほか、「タイム・イズ・マネー（時は金なり）」「愛されたいなら、愛し、愛らしくあれ」などの名言は今に残っている。

ひみつのエピソード 数々の発明

科学への関心も高かったフランクリン。凧を使って「かみなりは電気である」ということを証明し、この発見をもとに避雷針を発明。そのほか、遠近両用メガネやハーモニカも発明している。

独立宣言を書いたのはこのワタシ！

ヴァージニア州の大地主の家に生まれた**トマス・ジェファソン**。弁護士となった後、父親から土地を相続し農園経営者に。その後、植民地議会議員となり、28歳のころに結婚した。

イギリス本国への批判をたびたびしたため、反イギリス運動の指導者とされるようになったジェファソン。33歳と若かったが、植民地の代表者会議で推薦され、アメリカ独立宣言の草案を書くことに。**フランクリン**(▼168)らのチェックを経てできあがった独立宣言は、1776年7月4日に発表された。「すべての人は平等に創られ、神によって、生命、自由、幸福の追求の権利をあたえられている」という内容は、その後の**フランス革命**にも影響をあたえた。

独立革命後は、初代大統領**ワシントン**(▼166)のもとで国務長官を務め、1801年には第3代大統領となった。農園経営では奴隷を抱えていたジェファソンだが、アフリカから奴隷を連れてくる奴隷貿易を禁止したのだった。

フランス革命で散った王

ルイ16世

フランス国王

出身地：フランス

生没年：1754～1793年

性　格：優柔不断

断頭台に消えたフランス王

ルイ15世(▼147)の孫**ルイ16世**。1770年に**マリ・アントワネット**(▼172)と結婚。ふたりは舞踏会に明け暮れるなど、ぜいたくな暮らしを送っていた。しかし、当時のフランスはアメリカ独立革命への支援で経済状態が悪化し、社会不安が増大。そんななか、国王に即位したルイ16世は温厚な「いい人」だったが、混乱を治めるには、ふさわしくなかった。

税金をめぐる貴族と国民議会との対立から始まった**フランス革命**。改革をできず国民の不満を買ったルイ16世は、パリで民衆の監視下に置かれると、王妃マリ・アントワネットの母国オーストリアへの逃亡をはかった。この**「ヴァレンヌ逃亡事件」**により、ルイ16世は国民の信頼を急速に失っていく。

1792年、パリにもどっていたルイ16世は宮殿をおそわれる。王の権利を停止されると、ついには幽閉されてしまった。選挙で選ばれた国民公会はルイ16世に対し、死刑を決定。ルイ16世は、革命広場でギロチン刑に処せられた。

革命(かくめい)で散(ち)ったヴェルサイユの花
マリ・アントワネット
フランス王妃(おうひ)
出身地：オーストリア
生没年(せいぼつねん)：1755～1793年
性格(せいかく)：天真爛漫(てんしんらんまん)

セレブな暮らしを楽しむわ！

神聖ローマ帝国皇帝**フランツ1世**と、皇妃**マリア・テレジア**(▶156)の間に誕生。1770年、14歳にしてフランス皇太子と結婚。皇太子が**ルイ16世**(▶171)として即位すると、**マリ・アントワネット**はフランス王妃となった。

明るく社交的な性格でフランス国民に愛されたマリ・アントワネット。一方で、ルイ16世とは政略結婚だったため、気が合わなかった。そのため、ヴェルサイユ宮殿では宝石やドレスなどのオシャレに明け暮れた。夜は街にくり出し、お忍びで仮面舞踏会に参加。そこでスウェーデンの貴族**フェルセン**(▶174)と運命的に出会う。その後も、王妃の部屋にまねいて話をしたり、手紙のやりとりをしたりなど、フェルセンには特別な好意を寄せ、幸せな時をすごした。

王妃って大変ね…

しかし、この王妃らしからぬ行動やぜいたく過ぎる暮らしぶりから、宮廷内でも、国民からもきらわれるようになった。

苦しい生活に不満を募らせた民衆により**フランス革命**が起こると、パリで革命派市民の監視下に置かれてしまう。フェルセンの協力を得て、夫ルイ16世やふたりの間に生まれた子どもとともに、庶民に変装して母国オーストリアに逃亡しようとするも失敗し、立場はさらに悪化した。

革命が進展するなか、マリ・アントワネットはルイ16世とともに幽閉されてしまう。最後は夫につづくようにギロチン刑に処せられ、その優雅で波乱に満ちた一生は幕を閉じた。

ひみつのエピソード 入浴と香水

当時のフランスは入浴の習慣がなく、きつい香水で体臭をごまかしていた。マリ・アントワネットはオーストリアのころからの入浴の習慣をつづけ、バスタブでの入浴を楽しんだ。香水も軽やかな香りのバラやハーブ系を好んでいた。

17歳のころ、社交界でのふるまいを学ぶべく、パリにやってきた**ハンス・アクセル・フォン・フェルセン**。オペラ座の舞踏会に出席したとき、ひとりの女性と意気投合。その女性が仮面を外すと、現れたのはフランス王太子妃**マリ・アントワネット**(▼172)だった。

ふたりはヴェルサイユ宮殿で会うようになるが、マリ・アントワネットが王妃となることが決まると、フェルセンはパリを去った。4年後、宮殿を訪れ王妃と会うが、今度は**アメリカ独立革命**への参加が決まり、再び離ればなれに。

アメリカからもどりパリに住んだフェルセン。空白の時をうめるように毎日王妃と会うが、幸せな日々は長くつづかなかった。**フランス革命**で王家への批判が高まっていたのだ。王妃の命の危険を感じたフェルセンは王家の逃亡計画に全霊を捧げるが、失敗に終わる。捕えられ、処刑台に立つマリ・アントワネット。フェルセンはたすけることも、見守ることもできず、最期の知らせを聞くのだった。

新しい国アメリカに協力するぞ！

フランスに生まれた**ラ・ファイエット**。軍人にあこがれて13歳で軍に入るが、軍制改革によりわずか5年で退役させられてしまう。

ちょうどそのころ、**アメリカ独立革命**が始まった。フランスの当時の敵国イギリスに対して戦いを挑むアメリカに協力することを決意。国王**ルイ16世**(▶171)にアメリカ渡航を禁止されていたが、私費で船を買って出航した。アメリカでは、総司令官**ワシントン**(▶166)の副官となり、その後、防衛軍を指揮。ヨークタウンの戦いではイギリス軍を降伏に追い込み、独立革命はアメリカ側の勝利に終わった。

フランスにもどりしばらくすると、今度は**フランス革命**が始まった。アメリカで「市民こそが国の主人公だ」という**啓蒙思想**の影響を受けたラ・ファイエットは、絶対王政反対派の先頭に立ち、「人権宣言」を考案。国民軍司令官として戦った。革命後は**ナポレオン**(▶178)による支配にも反対。死をむかえるまで、市民のために戦いつづけた。

革命に不満のあるやつは皆殺しだ！

6歳で母を亡くし、父は発狂。貧しい幼少期をすごした**ロベスピエール**。生真面目で無愛想、権力者への強い敵意などにより周囲から浮き、友だちはいなかった。ただ、飛びぬけた天才だった。飛び級でパリの名門大学へと入ると、17歳のころ、学校を訪れた国王**ルイ16世**（▼171）に、学校代表として「あなたは素晴らしい王です」とひざまずき挨拶をしている。

弁護士をしていたころ、**フランス革命**が始まる。ロベスピエールは「民衆こそがいちばん」と主張するジャコバン派の最も過激なグループの指導者となった。国王ルイ16世が拘束されると、ギロチン処刑にすべきと主張。刑にかけた。対立する派閥を追放し独裁権を握ると、尊敬していた指導者**マラー**が暗殺されたのをきっかけに、人が変わったように恐怖政治を行うように。革命に不満をいだく者は、敵味方関係なくギロチン刑にした。この残虐行為に人々は反発。ロベスピエールもまたギロチンで処刑されるのだった。

マラーはワタシが殺るわ！

貧しい貴族の家に生まれた**シャルロット・コルデー**。13歳のときに母と死別し、修道院に入った。**フランス革命**が始まると、温和なジロンド派に親しみを感じ、過激な動きをくり返すジャコバン派に嫌悪を感じるようになった。そして、ジャコバン派のリーダーのひとり、**マラー**の暗殺を決心する。マラーの住む家を訪ねたシャルロット。2度追い返されるも、「3度目の正直」で部屋に通されると、治療のために入浴していたマラーを見つけ、ためらうことなくナイフを胸につき立てた。マラーは即死。シャルロットは逮捕され、死刑判決が下された。

処刑当日。凛とした表情でギロチンへとむかうシャルロット。数多の人間の処刑をしてきた死刑執行人**サンソン**も、これほど若く美しい女性が、毅然とした姿でいられることが信じられず、輝いてすら見えたという。

サンソンはシャルロットの手をやさしく縛ると、苦しませないよう、速やかに処刑をすませた。

ナポレオン・ボナパルト
フランスの将軍、皇帝
出身地：フランスのコルシカ島
生没年：1769〜1821年
特　技：砲撃、ラブレター攻撃

ボクには戦いの才能がある！

コルシカ島のイタリア系の貧しい貴族の家に生まれた**ナポレオン・ボナパルト**。軍人養成学校では、島なまりの言葉のせいでバカにされるも、雪合戦では指揮の才能を発揮。軍人となり、**フランス革命**の革命軍では将軍を任された。

このころ**ジョゼフィーヌ**（▼182）と結婚するが、結婚生活もそこそこに戦いに明け暮れる。オーストリアを撃破、イギリスと戦い、一時勝利するなど、名声を挙げた。

政府には任せられない！オレがやる！

革命の混乱がつづくフランスに対し、イギリス、オーストリア、ロシアは手を組み、フランス包囲網をつくる。ナポレオンは、国をまとめられない政府にイラ立ち反乱を起こす。この「**ブリュメール18日のクーデター**」で新しい政府をつくると、強い指導者を待ち望んでいたフランス国民から熱狂的な支持を受け、**皇帝**となった。

ナポレオンは、近隣諸国に戦いを仕掛け、ヨーロッパの大部分を手に入れる。しかし、**ホレーショ・ネルソン**（▼185）率いるイギリス海軍には勝てなかった。

運命を変えた離婚と冬のロシア

1810年、ナポレオンはあと継ぎを産めなかったジョゼフィーヌと離婚し、**マリー・ルイーズ**（▼183）と再婚。しかしこのころから、運命の歯車は狂い始める。

イギリスをたおすため、各国に、イギリスとの貿易を禁止する「大陸封鎖令」を出していたが、ロシアがこれに違反。怒ったナポレオンはロシアへ攻め込むが、厳しい冬の寒さに撤退。ロシア軍の追撃もあり、多くの兵が命を落とした。

この敗戦がきっかけで、ナポレオンは皇帝の座から追放される。翌年、再び皇帝となるが、イギリス軍に敗北し「百日天下」で終わる。南大西洋の孤島セントヘレナ島に送られ、その生涯を閉じた。

ジョゼフィーヌと
めでたく結婚した
ナポレオン。
しかし、その3日後、
ナポレオンはイタリア遠征に
むかわねばならなかった…
遠征がんばって♡
愛しいジョゼフィーヌよ
離れるのがつらすぎるよ…
ナポレオンは遠征先でも
毎日手紙を出した
ボクは、キミを愛さずしては、1日たりともすごしたことはない…
キミから離れていては、この世は砂漠だ…
キミによって生きること、これがボクの人生の物語だ…
そのころジョゼフィーヌは…
浮気をしていた
その後のエジプト遠征の際、ナポレオンは妻の浮気を知ってしまい、兄になげきの手紙を書いた
兄さんもうダメだ 絶対に離婚だ!!
ボナパルト…
その後、ジョゼフィーヌはナポレオンへの愛を取りもどすが、あと継ぎが産まれずナポレオンは離婚を決意。別々の人生を歩むのだった
しかし、その手紙は敵国イギリスにうばわれ、公表されてしまうのだった
ナポレオンのやつ浮気されてるんだって⁉
ダッセ〜
すまぬ ジョゼフィーヌ…
愛していた…

コラム

ナポレオンの成しとげたこと

ナポレオンはヨーロッパを戦争に巻き込んだ一方、さまざまな改革を行い、各国の近代化に影響をあたえた。

ナポレオンの戦争がもたらしたもの

ナポレオンは遠征をくり返し、ヨーロッパの広い範囲を支配下に置いた。それにより神聖ローマ帝国は消滅。一連の戦争によって、数百万人の命が失われたという。

一方で、支配地域では憲法や議会による新しい政治が行われ、工業化も進んだ。多くの国で車が右側通行なのも、ナポレオンの支配の影響といわれる。

ナポレオンの主な戦い

1796	イタリア遠征 →オーストリア軍を撃破
1798	エジプト遠征 →イギリス軍とインドの連絡を絶つ
1805	トラファルガーの海戦 →イギリス軍のネルソン（▶185）に敗北
1805	アウステルリッツの戦い →オーストリア・ロシア連合軍を撃破
1812	ロシア遠征 →極寒の地でロシア軍に敗退

マップ MAP ナポレオンの遠征と支配

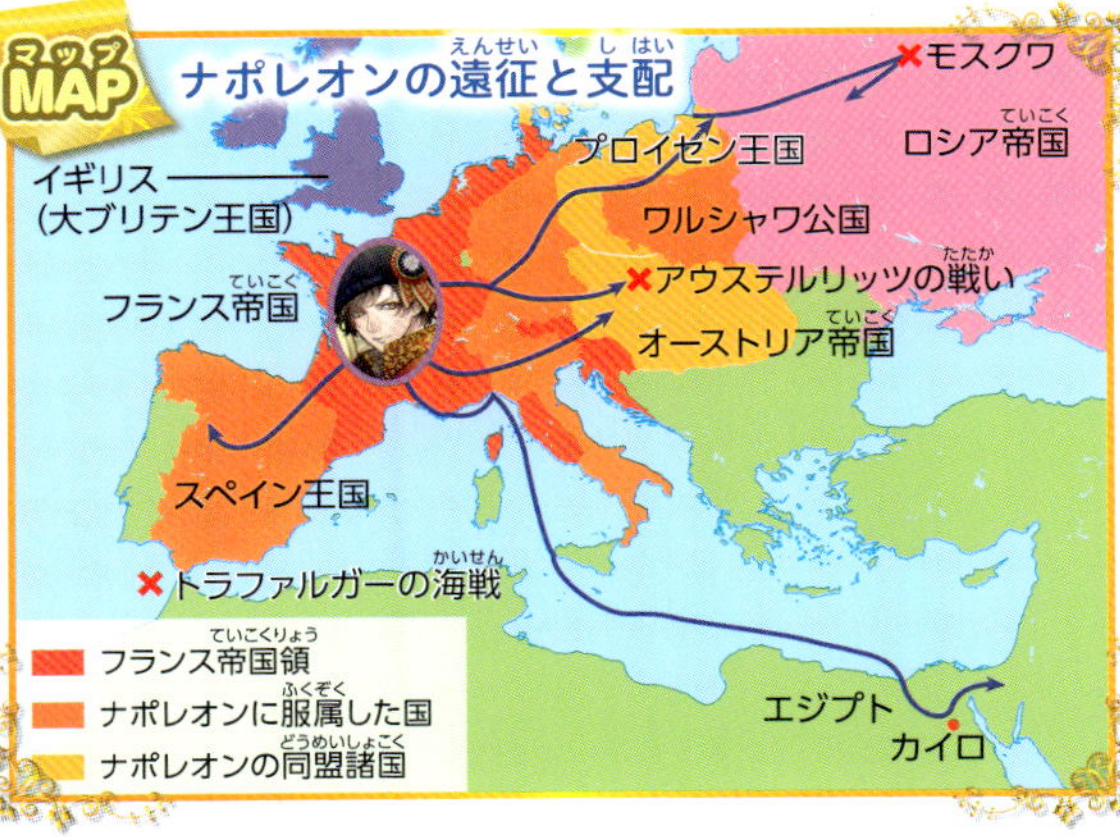

モスクワ
ロシア帝国
プロイセン王国
イギリス（大ブリテン王国）
ワルシャワ公国
アウステルリッツの戦い
フランス帝国
オーストリア帝国
スペイン王国
トラファルガーの海戦
エジプト
カイロ
フランス帝国領
ナポレオンに服属した国
ナポレオンの同盟諸国

新しい法律「ナポレオン法典」

権力をにぎったナポレオンは、フランス革命の成果である「財産をもつ権利」や「法の前の平等」、「契約の自由」などの考えを盛り込んだ法律**「ナポレオン法典」**を定めた。

この法典はフランス人民の支持を集めただけでなく、ナポレオンの支配地域の拡大によって、「自由、平等、博愛」の考えとともにヨーロッパ全土に広まった。各国の法律にも大きな影響をあたえ、その影響は、現在の日本の法律にもおよんでいる。

ナポレオンの最初の妻

ジョゼフィーヌ

ナポレオンの皇后

出身地：マルティニーク島
生没年：1763～1814年
趣　味：社交界

本当は好きだったのよ…

カリブ海に浮かぶフランス領の島に、農園主の娘として生まれた**ジョゼフィーヌ**。パリの貴族と結婚して、一男一女の母となった。

フランス革命中に夫が処刑されると政治家の愛人となり、その政治家の紹介で、軍人の**ナポレオン**(▶178)と出会った。

6歳上のジョゼフィーヌにナポレオンは一目ぼれ。猛アタックを受けたジョゼフィーヌもしだいに惹かれ、ふたりはめでたく結婚。

しかし、ナポレオンは外国への遠征で留守が多く、ジョゼフィーヌは社交界で浮気を重ねた。それを知って怒り狂ったナポレオンから離婚をせまられると、ナポレオンへの愛を思い出し、その後は皇帝となった夫を支えるのだった。

ある日、ナポレオンから急に離婚を告げられる。理由はあと継ぎがいないこと。ジョゼフィーヌは号泣するが、皇后の称号や莫大な慰謝料などを条件に離婚を認めた。

ジョゼフィーヌは死の間際、「ボナパルト…」とナポレオンの名をつぶやき、息を引き取ったという。

神聖ローマ帝国（その後のオーストリア）皇帝の娘**マリー・ルイーズ**。幼いころ、**ナポレオン**（▼178）から侵略を受けて宮殿を追い出されたことがあり、ナポレオンを憎んでいた。ナポレオンと**ジョゼフィーヌ**（▼182）の離婚を知ると、「次に皇后になる人がかわいそうね」と友人への手紙に書いていたほどだった。

ところが、その「次の皇后」に選ばれたのは、なんと自分だった。名門家の妻を望むナポレオンと、国を立て直したいオーストリア側の思いが一致しての政略結婚だった。ナポレオンは41歳。マリー・ルイーズは18歳。これを聞かされたときは、泣きくずれたという。

しかし結婚後、マリー・ルイーズはナポレオンのやさしさに惹かれていくと、結婚の翌年、**ナポレオン2世**となる男の子を出産した。

その後ナポレオンは失脚。マリー・ルイーズはオーストリアにもどり、イタリア半島北部にあるパルマ公国の女公となる。その後2回の結婚をし、生涯を終えた。

永遠に愛していますわ！

ポーランド貴族の娘**マリア・ヴァレフスカ**は、16歳のころ、46歳年上の老伯爵から政略結婚をもちかけられ、断れずに結婚した。

1806年、**ナポレオン**（▼178）がポーランドの首都ワルシャワを訪れると、マリアは歓迎会に夫とともに出席しナポレオンと出会った。**ジョゼフィーヌ**（▼182）と結婚していたナポレオンだったが、マリアの美しさに一目ぼれし、ラブレターを送りつづけた。しかし、マリアはこれを無視しつづけた。

これを知ったポーランド政府は「この国をナポレオンの手を借りてなんとか復活させたい」と考え、マリアをナポレオンの愛人にすべく夫にかけ合い、マリアは正式に愛人とさせられるのだった。

望まない愛人生活の始まりだったが、マリアはナポレオンをしだいに心から愛するようになった。ナポレオンはたびたびマリアをパリによび寄せ、ふたりの間には男の子が生まれている。ナポレオン失脚後も子連れで会うなど、ふたりの愛は死ぬまで変わらなかった。

ホレーショ・ネルソン

ナポレオンの前に立ちはだかったイギリスの英雄

出身地：イギリス
生没年：1758〜1805年

12歳でイギリス海軍に入隊した**ホレーショ・ネルソン**。フランスとの戦いで名声を挙げるが、右目を失い、また別の戦いで右腕も失ってしまう。しかし、ひるむことなく、エジプトでは**ナポレオン**(▼178)の艦隊を撃破。艦隊の司令長官まで上り詰めた。そしてむかえた**トラファルガーの海戦**。ナポレオン率いるフランス・スペイン連合艦隊を破り大勝に導くが、自身は船上で撃たれ、壮絶に戦死した。

ジョゼフ・ギヨタン

ギロチンの考案者

出身地：フランス
生没年：1738〜1814年

時は革命中のフランス。医師・解剖学者で、議員でもあった**ジョゼフ・ギヨタン**は、「苦しみの少ない処刑法を考えるべきだ。また、身分を問わず同じ方法で処刑することは、革命の『万人平等』の考えにも合う」とうったえた。1792年、巨大な刃が落下して首を切断する「ギロチン」が完成。革命中、特に**ロベスピエール**(▼176)の恐怖政治の時期、多くの人がギロチンで処刑された。

戦った北アメリカの先住民

イギリスによる植民地化が始まった17世紀から、20世紀初頭まで、北アメリカの先住民は侵略や差別と戦いつづけた。

白人に追い詰められていった先住民

16世紀から17世紀にかけて、ヨーロッパ人がアメリカ大陸に渡ったとき、アメリカ大陸には多くの先住民（インディアン）が暮らしていた。新しい土地で暮らす白人に先住民が手を貸すこともあったが、やがて強引に領土を拡大しようとする白人と、抵抗する先住民との間で、戦いが起こるようになった。

戦いは、イギリスのほか、フランスやスペインなども巻きこみ、先住民の戦いが植民地をもつ国どうしの代理戦争のような形になることもあった。

アメリカ合衆国の独立後、白人は先住民を未開の土地に移住させると、先住民に自分たちの文化を捨てさせ、キリスト教社会に取り込もうとした。これに反発する先住民は、兵士の数と武器で勝るアメリカ軍によって殺された。

白人に戦いを挑んだ主な先住民

クレイジー・ホース

パヤブヤ族の戦士。1876年にリトルビッグホーンの戦いでアメリカ軍に勝利。しかし、1877年にアメリカ軍にだまされ、殺された。

テクムセ

ショーニー族の戦士。1811年から1813年にかけて、イギリス軍と組んでアメリカ合衆国軍と戦った。テムズの戦いで敗れ、殺された。

ジェロニモ

アパッチ族の戦士。1851〜1886年のアパッチ戦争で先頭になって戦った。降伏後は20年以上もの間、捕虜として見世物などにされた。

マップ MAP

リトルビッグホーンの戦い

テムズの戦い

アパッチ戦争

7章 自由主義・国民主義の時代

主なできごと

19世紀

年	できごと
1806年	神聖ローマ帝国消滅
1810年	**カメハメハ1世**(▶215)が**ハワイ王国**を建国
1814年	フランスで**ナポレオン**(▶178)が退位、**ウィーン体制**がしかれる
1830年	フランスで革命が起こる(七月革命)
1837年	イギリスで**ヴィクトリア女王**(▶192)が即位
1848年	フランスで革命が起こり(二月革命)、ドイツ、オーストリアでも革命がおこる(三月革命) アメリカのカリフォルニアで金鉱発見、**ゴールドラッシュ**が始まる
1853年	ロシアとオスマン帝国の間で**クリミア戦争**が起こる
1859年	**イタリア統一戦争**が起こる
1861年	**ジュゼッペ・ガリバルディ**(▶198)が、支配していたイタリア南部を**ヴィットーリオ・エマヌエーレ2世**(▶201)にゆずり、**イタリア王国**が成立 アメリカで、**エイブラハム・リンカン**(▶210)が大統領に就任、**南北戦争**が始まる
1862年	ドイツで、**ビスマルク**(▶202)が首相に就任、**鉄血政策**を始める
1863年	アメリカで、リンカン大統領が**奴隷解放宣言**を行う
1865年	リンカン大統領が暗殺される 憲法の修正で奴隷制廃止が決定
1866年	プロイセン、オーストリアの間で**普墺戦争**が起こり、ドイツ連邦解体
1869年	アメリカで初の大陸横断鉄道開通
1870年	プロイセンとフランスの間で**普仏戦争**が起こり、フランス皇帝**ナポレオン3世**(▶206)が捕虜となる
1871年	**ヴィルヘルム1世**(▶203)を皇帝とする、**ドイツ帝国**が成立
1877年	イギリス領**インド帝国**成立
1896年	第1回近代オリンピック開催
1898年	アメリカがフィリピン、グアムを獲得、ハワイを併合

自由主義・国民主義の時代

ウィーン体制

ナポレオン（▼178）の失脚により、ナポレオンがヨーロッパを支配した時代は終わった。各国は、国王などの君主が力をもつ安定した国を取りもどそうと国際会議で話し合い、**ウィーン体制**という政治体制をしくことで合意した。

しかし、ヨーロッパ各国の革命、ヨーロッパが支配していたラテンアメリカ各国の独立、ギリシアの独立など、**自由主義**や**国民主義**の動きをおさえることはできず、フランスで再び起きたふたつの革命により、ウィーン体制は崩壊した。

MAP ウィーン体制のヨーロッパ

ドイツ連邦の境界
デンマーク王国
スウェーデン王国
イギリス（グレートブリテン＝アイルランド連合王国）
プロイセン王国
オランダ王国
ロシア帝国
ポーランド王国
ドイツ連邦
フランス王国
オーストリア帝国
スイス
教皇領
ポルトガル王国
オスマン帝国
スペイン王国
両シチリア王国
サルデーニャ王国

ウィーン体制のヨーロッパ

フランス、スペインの王家が復活。ロシア皇帝がポーランド国王も兼任。イタリアは国が乱立。プロイセンとオーストリアは領土を拡大。神聖ローマ帝国が消滅したドイツには、プロイセン、オーストリアなどを含む、35の君主国と4つの自由市からなる**ドイツ連邦**ができた。

自由主義・国民主義とは？

自由主義：国民が自分たちで自由にものごとを判断し、国はそれを守り、尊重するべきだという考え。

国民主義（ナショナリズム）：民族や国家の統一や独立、発展を求める考え。

イギリス

世界各地に植民地をもち、産業革命により「世界の工場」とよばれたイギリス。**ヴィクトリア女王**(▼192)が即位すると、自由主義の考えで、貿易がさかんになった。カナダやオーストラリア、南アフリカなどの植民地に自治権をあたえる一方、インドは、ヴィクトリア女王が皇帝となり直接支配した。

国内では、選挙法の改正によって、市民階級だけでなく、都市の労働者や農業・鉱山労働者にも選挙権があたえられた。1853年には不凍港※を求めて南下したロシアとオスマン帝国の戦い、**クリミア戦争**に参戦。戦地では**ナイチンゲール**(▼196)が看護婦として活躍した。

ニュースを発信する通信社や旅行会社ができたのもこの時代。

MAP 7つの海に君臨した大英帝国

イギリス
カナダ
インド
オーストラリア
南アフリカ
ニュージーランド
ヴィクトリア女王
イギリスの支配地域

イタリア

分裂がつづいていたイタリアでは、1859年の**イタリア統一戦争**などでサルデーニャ王国の**ヴィットーリオ・エマヌエーレ2世**(▼201)がイタリアの北部・中部を手に入れた。一方、「青年イタリア」の**ガリバルディ**(▼198)が南部を支配。ガリバルディは手にした地域をサルデーニャにゆずることで、**イタリア王国**が成立し、統一がなされた。

MAP イタリアの統一

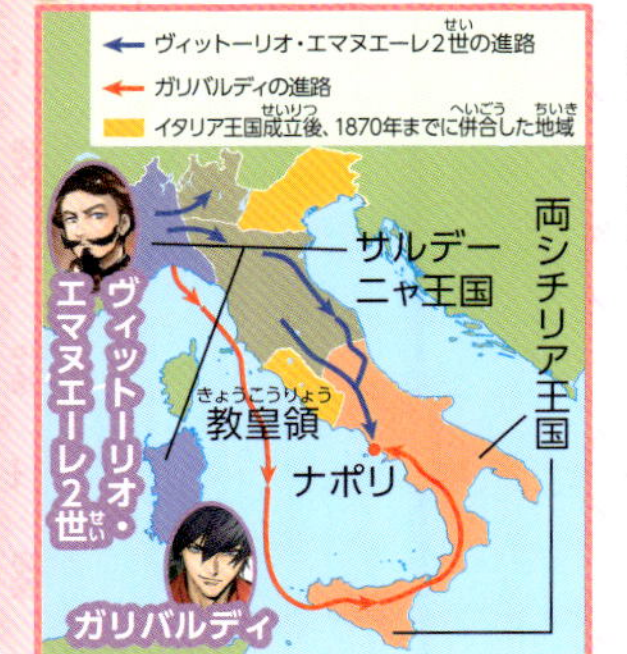

※ 不凍港：冬でも海がこおらない港。北部の港がこおってしまうロシアは、オスマン帝国内の黒海に港を求めた。

ドイツ

ウィーン体制で**ドイツ連邦**という小国の集まりとなっていたドイツでは、ドイツ統一をめざす革命が起きるが、考えがバラバラで失敗していた。1862年にプロイセンの首相となった**ビスマルク**(▼202)は武力でのドイツ民族統一をめざした。オーストリア西部で始まったオーストリアとの**普墺戦争**、アルザス・ロレーヌ地方をめぐるフランスとの**普仏戦争**に勝利。バイエルン王国も合流し、1871年に**ヴィルヘルム1世**(▼203)を皇帝とする**ドイツ帝国**が成立、ドイツ統一をはたした。

オーストリア

一方、イタリア統一戦争や普墺戦争に敗れたオーストリア帝国は、力が弱まった。そして、独立の考えが強かった帝国内のハンガリーに自治権をあたえたことで、ハプスブルク家が治める、**オーストリア・ハンガリー帝国**となった。

フランス

ウィーン体制後のフランスでは、国王が選挙に参加できる人を厳しく制限したため、国民の反発をまねいた。1830年と1848年にふたつの革命が起こり、ヨーロッパ各国にも大きな影響をあたえる。革命により王政から共和政となるが、**ナポレオン3世**(▼206)がクーデターを起こし皇帝となると、帝政が復活。国を大きくしようとするが、プロイセンとの普仏戦争に敗れ、帝政は20年もたずに終わった。

MAP ドイツ統一と、オーストリア、フランス

アメリカの拡大と南北戦争

アメリカ独立革命(▶164)により、13州とイギリスからゆずられた領土でスタートしたアメリカ合衆国。その後、フランス領を買収し、メキシコ領を戦争などで手に入れ、西のカリフォルニアまで領土を広げて太平洋まで達した。

そして1848年にカリフォルニアで金鉱が発見されると、世界中から人々が一攫千金をめざして集まる、**ゴールドラッシュ**が起こった。このころ、中国やアイルランドなどからの移民が大勢やってきている。

この西部の開拓は、南部と北部の奴隷制をめぐる力関係をくずし、対立が強まった。そして、1861年に**南北戦争**(▶209)が始まる。1863年に**リンカン**(▶210)によって**奴隷解放宣言**が出され、戦争は北部が勝利。アメリカは再統一され東西南北へと広がる大国となり、世界一の工業国へと成長していった。

MAP アメリカの拡大

独立後、南北戦争まで

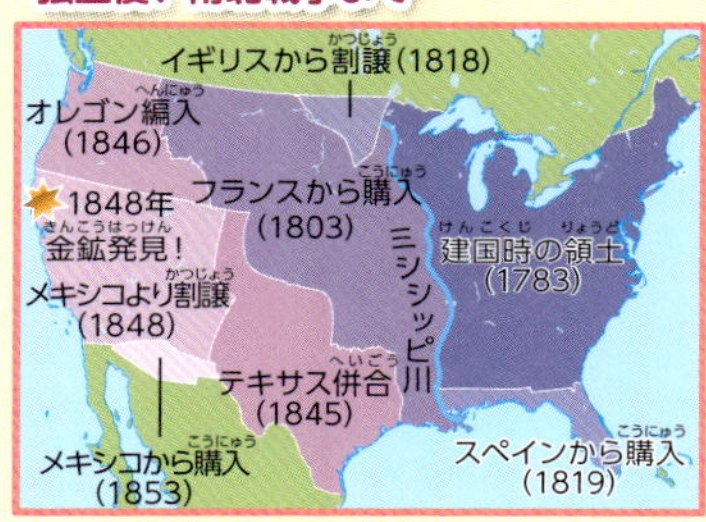

フランス領、メキシコ領を手に入れ、太平洋に到達。ゴールドラッシュが起こった。

南北戦争後、1912年まで

4本の大陸横断鉄道が開通し、1912年に48州となった（1959年にアラスカ、ハワイも州となり、現在の50州となる）。

そのころの日本は…
江戸時代後期、開国へ

ウィーン体制がしかれたころ、江戸幕府では大飢饉や百姓一揆が起こり、政治を立て直すための改革が行われていた。そして、1853年、アメリカから**ペリー**がやってくると、幕府は開国を決意し、アメリカやロシアなどと条約を結んだ。

その後明治維新により江戸幕府は滅び、明治政府が成立した。

好きな人と結婚できてホントに幸せ

イギリスの王族の娘として誕生し、18歳で王位を継承した**ヴィクトリア女王**。20歳のとき、ほのかに思いを寄せていたイケメンないとこ、ドイツのザクセン公、**アルバート公**（▼193）と結婚。「世界中でわたしほど幸せなものはないと思います」と書き残している。

アルバートとの間に4人の王子と5人の王女をもうけ、夫婦円満な王室は、国民から愛された。アルバートが42歳の若さで亡くなると女王は悲しみに暮れるが、立ち直ると、その威厳を示す。**産業革命**の進展もあり、イギリスは世界一の工業国に。ヴィクトリア女王はインド皇帝を兼任。アフリカの植民地を拡大するなど、7つの海に君臨したとまでいわれた**「大英帝国」**を築いた。

アイテム

純白のウェディングドレス

ヴィクトリア女王は結婚式で純白のドレスを着用。それ以降、純白のドレスが花嫁の定番となった。

ヴィクトリア女王のベストパートナー

アルバート公

ヴィクトリア女王の夫
出身地：ドイツ
生没年：1819〜1861年
性　格：誠実

「妻です」と答えないと開けないよ♥

本名は、**ザクセン・コーブルグ・ゴータ公アルバート**。ドイツのザクセン公の家に生まれる。11歳のときの日記に「わたしは立派な役に立つ人間となるため自分を訓練するつもり」と書いたほどの人格者で、抜群のイケメンだった。

20歳のとき、いとこでイギリス女王となっていた**ヴィクトリア女王**（▼192）と結婚。政治的結婚ではあったが、ふたりは相思相愛のラブラブな夫婦だった。

アルバートは、家庭においては公私をハッキリと分けさせた。ヴィクトリアがドアをノックして「女王です」と言ったときはドアを開けず、「あなたの妻です」と言ったときだけドアを開けたという。

妻のよきアドバイザーに徹し、表舞台には立たなかった。ただ、イギリスを思う心は強く、ロンドン万国博覧会開催を実現。イギリス議会もそんなアルバートに敬意を表し、「女王の夫君」という称号をあたえている。42歳で病死。ヴィクトリア女王は悲しみ、その後喪服を着てすごしたという。

執事とメイド

イギリスでは産業革命以降、上流階級の屋敷で住み込みで働くようになった。

働く女性の3分の1はメイド!?

中世以降のヨーロッパでは、身分が高く裕福な人々の城や邸宅に、主人や家族の身の回りの世話をする男性使用人「執事（バトラー）」がいた。18世紀半ばのイギリスでは、産業革命によって裕福になった中流家庭の間で、執事よりも賃金がはるかに安いメイドを雇うことが流行した。メイドの多くは地方の貧しい家の出身で、家族のために遠く離れた金もちの家に住み込み、働いた。19世紀末のイギリスでは、働く女性の3分の1はメイドだったといわれている。

メイドには、ハウスキーパー（女性使用人のリーダー）の指示でさまざまな仕事をこなすハウスメイド、ドレスや髪など女性の身の回りの世話をするレディースメイド、寝室や客室の世話をするチェインバーメイド、お茶やお菓子の管理をするスティルルームメイドなど、さまざまな階級や職種があり、大きな屋敷では100人を超えるメイドが働いていることもあった。

執事の服装

制服はなく、自分で用意していた。主人よりも安い素材で、古風に仕立てるのがポイント。

執事の仕事

主人には絶対服従。当初は食卓の給仕で、酒や銀食器をあつかっていたが、しだいに家内全体の面倒を見るようになった。

メイドの服装

ハウスメイドは、午前と午後で仕事の内容が変わるため、服を着替えていた。

午後

客をむかえることもあるため、黒系の清楚なワンピースに、飾りのついたエプロンを着用した。

午前

掃除が多いため、花柄やストライプの安いワンピースに、じょうぶなエプロンを着用した。

掃除道具

メイドの仕事

ハウスメイドは、家の中のあらゆる雑用をこなす厳しい仕事だった。

子どもの世話

子どもの世話をするメイドは、ナースメイドとよばれた。

身の回りの世話

主人たちやお客さんのお茶や身の回りのものなどを用意した。

掃除

暖炉の中など、屋敷の中のあらゆる場所を掃除した。

戦場に舞い降りた「クリミアの天使」
ナイチンゲール
イギリスの看護師
出身地：イタリアのフィレンツェ
生没年：1820〜1910年
性　格：頑固

看護婦として人と神に奉仕するの!

イギリス人の裕福な家庭で育った**ナイチンゲール**。上流階級の社交界で華やかに生きることもできたが、貧しい人に食べ物や薬を分けあたえた経験や「人のために奉仕せよ」という神のお告げを聞いたことから、看護婦(現在の看護師)として働く決心をした。

看護婦は当時、身分の低い女の人の仕事とされていたため、家族は猛反対。しかし、ナイチンゲールはこれを押し切って看護婦の仕事を始めると、ロンドンの慈善病院で看護婦長となり、家族から独立。その働きは評判となった。

わたしが彼らの命を救う!

1853年にロシアとオスマン帝国の間で**クリミア戦争**が勃発。イギリス軍はオスマン帝国軍を支援していたが、両陣営とも大勢の死者を出し、戦いは泥沼化していた。この惨状は、世界で初めて戦争に新聞記者が従軍していたことで、広く国民にも伝わった。

イギリス政府に声をかけられたナイチンゲールは、看護婦団を率いて、野戦病院に乗り込んだ。しかし、戦地に着き唖然とする。病院は不衛生。薬や食料は不足し、負傷兵はまともな治療がなされず、栄養失調や病気で弱っていた。

ナイチンゲールは軍医を説き伏せ、病院の衛生化に努めると、物資調達や職員増員などを指示。その結果、死亡率は大幅に低下した。

これからが勝負よ!

どんな重傷でも見捨てず看護するナイチンゲール。夜はランプを手に持ち、患者を見回った。患者にとって、まさに「天使」だった。

戦争が終結しイギリスへもどると、統計資料をもとに**ヴィクトリア女王**(▼192)夫妻に働きかけ、医療施設の近代化に残りの人生を捧げた。一方で、赤十字社を創始した**アンリ・デュナン**とは最後まで意見が合わなかったという。

イタリア統一運動の英雄
ジュゼッペ・ガリバルディ
イタリアの軍事家
出身地：フランスのニース
生没年：1807〜1882年
性　格：勇敢

イタリアを統一したい！

フランスのニースの、イタリア人の血を引く家庭に生まれた**ジュゼッペ・ガリバルディ**。17歳で父と同じく船乗りとなり、26歳のころ、分裂していたイタリアの統一をめざす秘密結社「青年イタリア」に参加した。翌年、北イタリアで海軍の反乱を計画するも失敗。死刑宣告からのがれるために、南アメリカへと旅立った。

あなたはわたしのものだ

南米では各地の民族解放運動に参加。ジャングルにひそみ、奇襲攻撃をするゲリラ戦を駆使した勇猛な戦いぶりで、その名を知らしめた。しかし、あいつぐ仲間の死に、精神的にはつかれきっていた。

そんなときに出会ったのが、現地に住む18歳の女性、**アニータ**（▶200）だった。一目見て心の安らぎを感じた32歳のガリバルディは、迷うことなく、「あなたはわたしのものとなるべきだ」と熱烈にプロポーズ。アニータには夫がいたが、3年後にその夫が亡くなると、ふたりは結婚した。

1848年、イタリア解放への戦いが始まると、ガリバルディは海を渡りイタリアにかけつける。義勇軍を組織して**ナポレオン3世**（▶206）率いるフランス軍と戦い、躍動した。

おそろいのシャツで戦おうぜ！

しかし、しだいに劣勢となり、アニータにも先立たれたガリバルディ。一度アメリカへ退避するが、「あきらめきれん！」と再び立ち上がった。イタリアにもどると、1859年に**イタリア統一戦争**が勃発。※**赤シャツ隊**を率いてイタリア南部のシチリア島から北にむかって進撃。ナポリにて、イタリア北部を治めていた**ヴィットーリオ・エマヌエーレ2世**（▶201）と馬上会談をすると、南部をゆずることでイタリア王国の統合をはたしたのだった。

※赤シャツ隊：ガリバルディが率いた義勇兵。精肉会社の赤い制服を転用して着ていたことから名づけられた

浮気されるくらいなら わたしも戦場へ行く！

ブラジルの羊飼いの娘**アニータ**は、故郷で結婚して平凡に暮らしていた。ただ、インディオ（先住民）の占い師に「あなたは海を越えてきた男と恋に落ち、結婚する」と言われた話を信じていた。

そんなある日、南米で義勇兵として活動中の**ガリバルディ**（▼198）と出会う。一目で彼をとりこにしてしまうと、熱烈にプロポーズされる。占い師の話を心に留めていたアニータは運命を感じ、夫が亡くなるのを待ち結婚した。

男勝りのアニータは、南米でのガリバルディのゲリラ戦に参加。その後、イタリア解放のため、対フランスの戦いへとむかったガリバルディ。彼からの手紙の「女性にモテてこまる」という文面に、気が気でなくなったアニータもイタリア上陸を決意。ガリバルディと行動を共にし、前線で戦った。劣勢となり、北イタリアを転々とするなか、アニータは高熱が原因で、愛する夫にだかれ息を引き取った。「イタリアのアマゾネス※」と称賛された女性の最期だった。

※**アマゾネス**：ギリシア神話に出てくる、勇猛な女戦士の部族。

わたしは最初のイタリア国王になる！

北イタリアの小国、サルデーニャ王国の国王となった**ヴィットーリオ・エマヌエーレ2世**。父の遺志を継ぎ、北イタリアからオーストリアの影響力をなくし、イタリアを統一すると心に決めた。

まず、フランスの**ナポレオン3世**(▶206)に接近。一部の土地をゆずる見返りに、イタリア統一に協力してもらう密約を結ぶ。多少裏切られるも、**イタリア統一戦争**でオーストリアに勝利。オーストリアから領地をうばい返した。

次に、エマヌエーレ2世はイタリア南部を支配した**ガリバルディ**(▶198)とナポリで馬上会談をすることに。「まず南北を統一しよう」ともちかけると、ガリバルディは「ここにイタリア国王がおられる」と叫び、なんとその征服地のすべてをゆずってくれたのだった。

こうして、1861年に**イタリア王国**が誕生。初代イタリア国王となったヴィットーリオ・エマヌエーレ2世は、ヴェネツィアとローマ教皇領も支配下に入れ、イタリア統一を成しとげた。

ドイツの鉄血宰相

ビスマルク

ドイツ帝国首相
出身地：プロイセン王国（現在のドイツ）
生没年：1815〜1898年
性　格：意志が強い

鉄と血ですべてが決まる！

プロイセン王国の田舎貴族の家に生まれた**ビスマルク**。政治の世界へ入ると頭角を現し、ペテルブルグ、パリ駐在大使を歴任。

大使のころ、しばしば外国の指導者に辛口のコメントを浴びせており、フランス皇帝**ナポレオン3世**（▼206）のことを〝謎のないスフィンクス〟とバカにしている。

1862年には**ヴィルヘルム1世**（▼203）によってプロイセンの首相に任命された。このとき「大きな問題は、演説や投票など民主的な方法ではなく、鉄と血（＝武力）によってのみ解決する」と発言し、議会を軽視。この発言により、ビスマルクは**「鉄血宰相」**とよばれるようになった。

ビスマルクは軍備拡張を強行すると、ドイツ統一へむけ戦いを開始。オーストリアやナポレオン3世率いるフランスを破り、1871年、ヴィルヘルム1世を皇帝とする**ドイツ帝国**を成立させた。

愛妻家としても有名で、最期は「私のヨハナにまた会えますように」と祈り、息を引き取った。

泣く泣くなったドイツ初代皇帝

ヴィルヘルム1世

ドイツ帝国初代皇帝

出身地：プロイセン王国(現在のドイツ)
生没年：1797～1888年
性　格：スネやすく、泣き虫

本当はプロイセン国王がいいんだ…

プロイセン国王の次男として生まれた**ヴィルヘルム1世**。幼少期は病弱だったが、勇敢な若者に育った。1813年から翌年にかけ、**ナポレオン**(▼178)による支配に対抗する解放戦争に出兵した際には大活躍し、「鉄十字章」の勲章をさずけられている。

1861年、兄のあとを継いでプロイセン国王に即位。とにかく軍を強くしたかったヴィルヘルム1世は、リーダーシップを発揮しようとするが、議会に反対される。「わたしの考えを受け入れてくれないなら、国王をやめる」とすねてしまうが、臣下に**ビスマルク**(▼202)を首相につけることを提案される。この「鉄血宰相」を味方につけると、プロイセンの近代化とドイツ統一を進めていった。

しかし、圧の強いビスマルクとは幾度となく対立。ヴィルヘルム1世はプロイセン国王であることにプライドをもち、ドイツ皇帝などにはなりたくなかったが、ビスマルクの圧に負け、泣く泣く**ドイツ帝国**初代皇帝になるのだった。

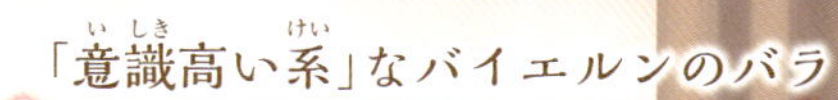

「意識高い系」なバイエルンのバラ

エリザベート

オーストリア皇后

出身地：バイエルン王国（現在のドイツ）
生没年：1837～1898年
趣　味：ダイエット

えっ、わたしが皇后に!?

バイエルン王家に生まれた**エリザベート**。王位継承権からはほど遠い位置にいたため、自由で活発な生活を送り、「シシィ」というあだ名でよばれ、愛されていた。

15歳のとき、姉ヘレーネのもとに**オーストリア=ハンガリー帝国**皇帝**フランツ・ヨーゼフ**との結婚話がもちかけられる。姉のつき添いとして母とともにオーストリアにむかうエリザベート。なんとそこでヨーゼフに見初められたのは、姉ではなく、「シシィ」エリザベートだった。結婚を申し込まれてしまったエリザベートは、フランツ・ヨーゼフの皇后になった。

宮廷なんてもうイヤッ!

自由で気ままな生活をしてきたエリザベートにとって、格式ばった宮廷生活は、実に居心地の悪いものだった。公務の途中、控室で泣き出すこともあり、姑で皇太后のゾフィーは厳しい目をむけつづけた。エリザベートは窮屈な宮廷を離れて一年の大半を外国や旅行ですごすようになり、旅先で莫大な浪費をするのだった。

「美」だけがわたしの誇り

公務をほったらかし、巨額のむだ遣いをしても、エリザベートは国民から絶大な人気を得ていた。「バイエルンのバラ」とたたえられるほどの美貌に恵まれていたからだった。170センチを超える長身に、長く美しい黒髪、約50センチというウエスト…。体型を保つためにいろいろなダイエットに挑戦し、運動も欠かさなかった。しかし、美の追求だけでは、空虚な心は埋められなかった。

次期皇帝として将来を期待されていた息子の**ルドルフ**が自殺すると、エリザベートは黒のベールで顔をかくし、喪服を身にまとったまま放浪生活をするように。そして旅先のスイスのジュネーブで若者によって刺殺されるのだった。

ナポレオンをめざした「ルイ」ナポレオン

ナポレオン3世

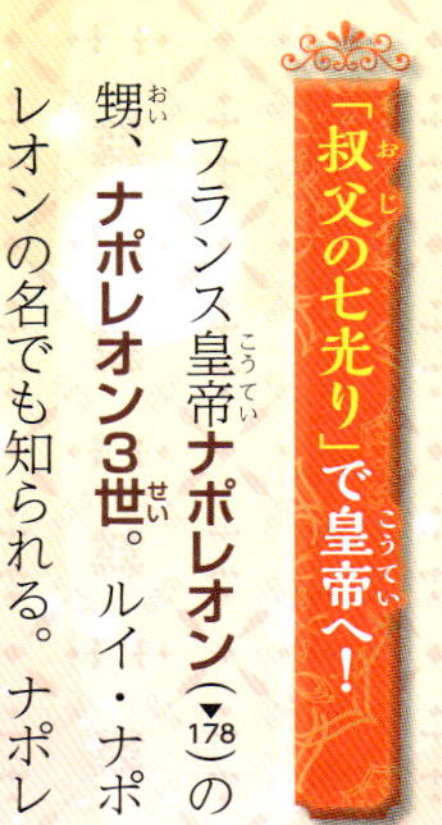

フランスの皇帝

出身地：フランス
生没年：1808〜1873年
性　格：冷静沈着

「叔父の七光り」で皇帝へ！

フランス皇帝**ナポレオン**（▼178）の甥、**ナポレオン3世**。ルイ・ナポレオンの名でも知られる。ナポレオン失脚の後、各地を放浪。※帝政復活をめざし軍事クーデターを起こすも失敗。終身刑となるが、脱獄してイギリスへ逃亡した。

フランス王が失脚したのを機に帰国。議員に立候補すると、見事当選。「英雄ナポレオンの甥」という響きで支持が集まり、大統領になると、軍事クーデターを起こし、ついに皇帝となった。

ナポレオン3世はパリの街並みを整備し、万国博覧会を開催。かつての栄光を取りもどそうと、植民地獲得と対外戦争に力を注いだ。しかし、**ヴィルヘルム1世**（▼203）と**ビスマルク**（▼202）率いるプロイセンとの**普仏戦争**に敗れ、自ら捕虜となってしまい、屈辱のなかで退位した。

ひみつのエピソード　徳川幕府とのつながり

徳川幕府と交流があったナポレオン3世。徳川最後の将軍、徳川慶喜には馬と軍服をおくっている。また、パリの万国博覧会には幕府関係者も参加し、芸者がお茶をふるまったという。

※ **帝政復活**：ナポレオン失脚後、フランスでは帝政が終わり、王政になっていたため、帝政復活をめざした。

パリのファッションをリードした皇后

ウジェニー・ド・モンティジョ

ナポレオン3世の皇后

出身地：スペイン
生没年：1826～1920年
趣味：乗馬

パーティーの主役はワ・タ・シ♥

スペインの高級貴族の家に生まれた**ウジェニー・ド・モンティジョ**。情熱的な性格で、失恋した際、男装・くわえタバコで街を闊歩するなど荒れたことも。その美貌のためヨーロッパ中の貴族から求婚されるが、断りつづけていた。

1853年、ウジェニーは、フランス皇帝に即位したばかりの**ナポレオン3世**(▼206)からプロポーズされる。ふたりは以前舞踏会で出会い、顔見知りだった。ウジェニーはなやんだが、結婚を決めた。

皇后になると、美貌と気品でフランス皇室を支えた。また、「モードの女帝」ともよばれ、パリの社交界で次々と流行を生み出し、ファッション界をリード。夫の退位後は、夫と共にイギリスへ渡り、**ヴィクトリア女王**(▼192)と仲よくすごし、一生を終えた。

アイテム

クリノリン

スカートを膨らませる骨組みの下着。ウジェニーが妊娠したお腹をかくすために使ったものが爆発的に流行した。

オリンピックを復興し、平和な世の中をつくりたい！

イタリア軍人貴族の血を引く、フランスの男爵家に生まれた**ピエール・ド・クーベルタン男爵**。イギリス留学中に、スポーツに重点を置いた教育方法に感銘を受け、フランスでもスポーツを教育に取り入れ、青少年の心身を鍛えたいと考えるようになった。

また、1881年にギリシアで古代オリンピアの遺跡が発掘されたことにも刺激を受け、**オリンピック**復興を思い描くようになる。

「古代オリンピックは、たとえ戦乱中でも、戦いを止めて行われた平和の祭典。現在は戦争がいつ起きてもおかしくない時代。このスポーツの祭典で平和を保ちたい」という思いもあった。

クーベルタンはフランス・スポーツ連盟を結成すると、オリンピック復興を提唱。1894年には国際オリンピック委員会（IOC）が結成され、1896年、第1回近代オリンピックが古代オリンピック発祥の地アテネで開催された。その平和への思いは、今も引き継がれている。

アメリカの南北戦争

1776年に独立したアメリカだったが、19世紀になると奴隷をめぐる国内の対立がはげしくなり、南北戦争に突入する。

奴隷制をめぐる戦い

独立後のアメリカは領土を西へと広げていたが、**奴隷制**をめぐり、南部の州と北部の州で対立するようになった。南部の州は大規模な綿花栽培のために、アフリカの黒人奴隷を必要としている「奴隷州」だった。一方、北部の州は工業が発展し、奴隷制は必要ないと考える「自由州」だった。

そんななか、1848年に**ゴールドラッシュ**(▼191)が起こると、西部のカリフォルニアに人が集まり、新しい州ができた。このカリフォルニア州が、奴隷制を認めない自由州側に入ったことで、奴隷制がつづけられなくなるのではと、南部の州は危機感を高めた。

その後、北部では、**ストウ夫人**(▼212)が発表した、奴隷の悲惨さを書いた小説**『アンクル・トムの小屋』**の影響で、奴隷制反対の声が高まった。また、奴隷制に反対する共和党から**リンカン大統領**(▼210)が誕生。南部の州は協力し合って「アメリカ連合国」をつくり、アメリカ合衆国からの離脱を宣言。ついに戦いが始まった。

1861年に始まった**南北戦争**は4年間つづき、奴隷制に反対する北部の自由州側の勝利に終わる。戦争中のリンカン大統領による**奴隷解放宣言**を受けて、アメリカの奴隷制は廃止されることになった。

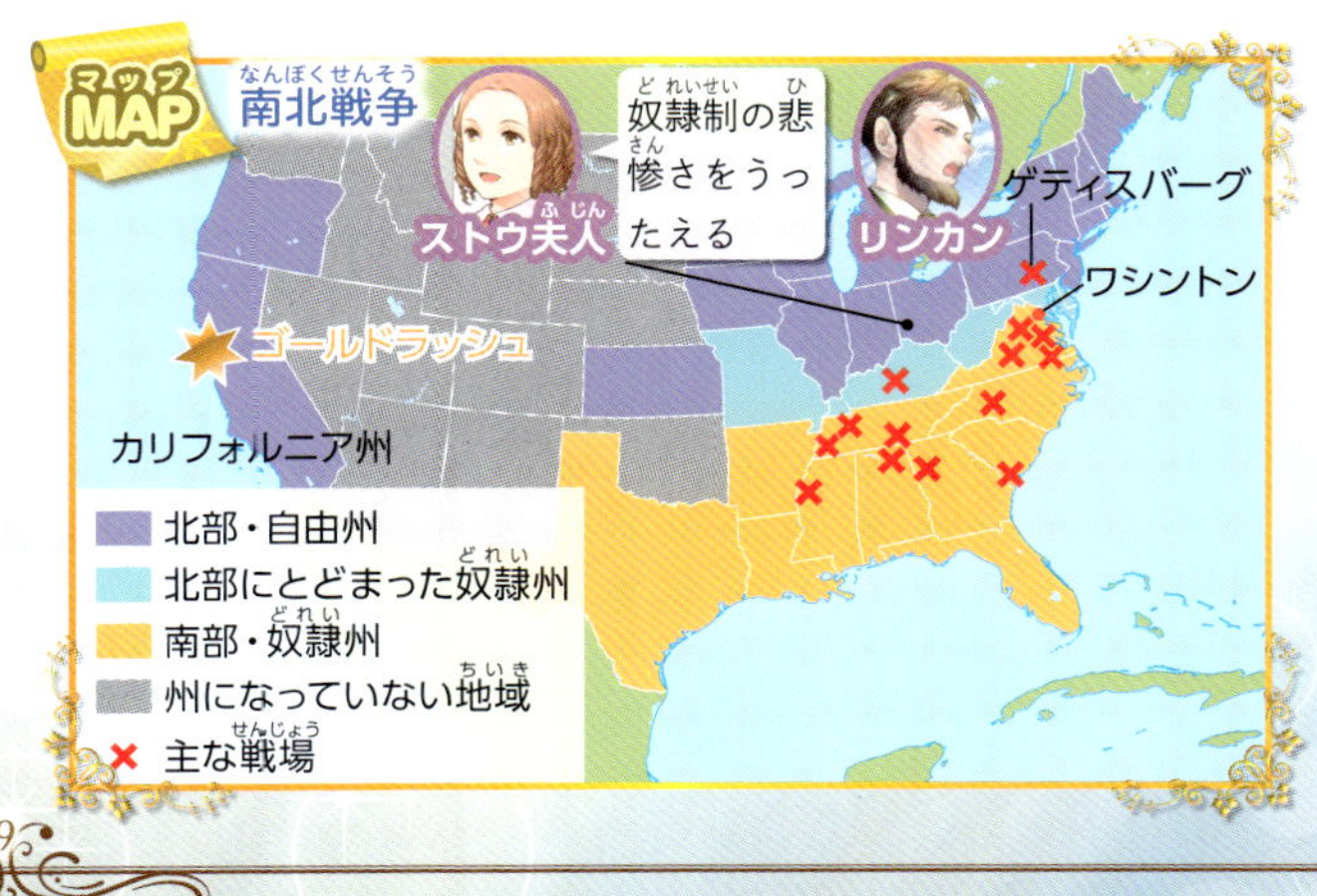

奴隷制廃止のために戦った大統領
エイブラハム・リンカン
アメリカ合衆国第16代大統領
出身地：アメリカのケンタッキー州
生没年：1809～1865年
特　技：プロレス

腕っぷしには自信があるぜ！

開拓者夫婦の次男として生まれた**エイブラハム・リンカン**は、幼少期を丸太小屋ですごした。母を早くに亡くし、開拓地を移動しながらの生活が多かったため、教育らしい教育を受けなかったが、人と交流するなかで知識や学問を吸収した。また、長身で腕っぷしが強く、荒くれ者とプロレスで戦い、お金をかせいでいた。

奴隷制なんてかっこ悪い！

雑貨店経営や郵便局長をしながら独学で法律を学んだリンカンは、弁護士事務所を開業。並行して政治家としての活動も始めた。

当時、アメリカ西部の開拓地は**ゴールドラッシュ**（▼191）にわいていた。この西部の州が奴隷制に反対の北部側に加わったため、奴隷制をつづけたい南部は不満だった。

1860年、奴隷解放をめぐる南北分裂の危機のなかで行われた選挙で、奴隷制廃止をうったえる共和党から出馬したリンカンは当選。大統領選挙も制し、アメリカ合衆国第16代大統領となった。

政治は人民のためにある！

1861年、奴隷制廃止に反対する南部が北部から分離・独立すると、**南北戦争**が始まった。リンカンは北軍の最高指導者として戦争を指揮し勝利。終戦後、最大の激戦となったゲティスバーグの戦いの跡地での慰霊祭で、「**人民の、人民による、人民のための政治**をしよう」と、名演説を行った。

しかし、就任からわずか4年、志半ばにして暗殺された。

ひみつのエピソード 幸運をよぶヒゲ!?

大統領選挙中、リンカンはニューヨークに住む少女から手紙をもらった。手紙には「大統領候補としてはヒゲを生やしたほうがかっこいい」と書かれていた。リンカンは、この手紙の通りヒゲをたくわえ、見事当選。当選後に少女に会いに行くと、リンカンは、「見てごらん、あなたのために生やしたヒゲだよ」と言ってキスをしたという。

『アンクル・トムの小屋』の作者

ストウ夫人

アメリカの作家

出身地：アメリカのコネティカット州
生没年：1811〜1896年
特　技：小説執筆

ワタシの小説で世の中を変えられたら…

ハリエット・エリザベス・ビーチャーは、小さいころから文を書くのが好きで、父親が校長を務める神学校で教えるかたわら、文芸誌に寄稿していた。神学校に勤務するストウと結婚。**〝ストウ夫人〟**となり、7人の子宝に恵まれた。

アメリカ南部を訪れた際、奴隷制の悲惨さを強く感じたストウ夫人。奴隷の南から北への逃亡をたすける秘密組織「地下鉄道」の存在を知り、自身も協力。**『アンクル・トムの小屋』**※の執筆を開始した。

黒人奴隷を主人公としたこの作品が首都ワシントンの新聞に連載されると大反響。本として出版されるとベストセラーに。北部では奴隷解放が叫ばれ、奴隷の労働力を必要とする南部との対立が強まった。そして、1861年からの**南北戦争**へとつながった。

ストウ夫人はこの戦争の最中、**リンカン大統領**（▼210）に会っている。このとき夫人は大統領から「この大きな戦争のきっかけは、こんな小さなご婦人がつくったのですね」とおどろかれたという。

※『アンクル・トムの小屋』：黒人奴隷トムが白人に売られ、家族が引き離される悲劇の物語。

紳士的!?なガンファイター

本名は**ウィリアム・ヘンリー・マッカーティ・ジュニア**。父親を早くに失ったあと、母親を侮辱した男を殺害して放浪生活に入った。あちこちをさすらううちにガンファイターとなった彼は、人殺しを重ね、いつしか〝**ビリー・ザ・キッド**〟とよばれるようになる。自分を敵視する社会を激しく憎み、彼に絞首刑を宣告した裁判官に、ツバをはきかけたことも。

こうした誰にもこびない「アウトロー」な態度から、権力と戦うヒーローとして崇められ、特に女性から人気があった。「個人的につき合っている限りは、彼のように礼儀正しく、ていねいな紳士に会ったことがないわ」という大牧場の女主人の言葉も残されている。

1881年、ビリーは郡保安官によって射殺され、21年の生涯を終えた。彼が殺害した人数は年齢と同じ21人だった。ビリーの埋葬場所には彼を崇拝する人々によって墓石が建てられたが、やはり彼を崇拝する人々によって壊され、持ち去られた。

「平原の女王」とよばれた女ガンマン

カラミティ・ジェーン

西部開拓時代の女ガンマン

出身地：アメリカのミズーリ州
生没年：1852ころ～1903年
趣　味：飲酒

疫病神だって？ そりゃ上等だね！

アメリカ中西部に生まれた**マーサ・ジェーン・カナリー**。10代で両親を失ったあと、消息不明の時期がつづいたが、1870年代初頭に、アメリカ西部に姿を現したときは、いっぱしの女猛者になっていた。荒くれ男に交じって、牛追いや鉄道人夫などの力仕事をやってのけ、大酒飲みで無法なふるまいから〝カラミティ（「疫病神」の意味）〟というあだ名をつけられていた。拳銃の腕前は超一流で、腰にぶら下げている6連発リボルバー拳銃が相棒だった。

サウスダコタ州に移ってからは、デッドウッドの荒くれ保安官**ワイルド・ビル・ヒコック**と親しい間柄になる。そのうち子どもを産むと、「ふたりはつき合っていたの？ 彼の子ども？」などウワサが立つが真相は不明。傍若無人さの裏にはやさしい一面もあったという。ヒコックの死後、新しいパートナーを得たが、長つづきせず、大酒に溺れた。長年の大酒がたたって死亡。遺体はヒコックのとなりに葬られた。

ハワイの民の父親

ハワイ島の身分の高い族長の家系に生まれた**カメハメハ**。島を支配していた親族が亡くなると反乱を起こし、ハワイ島を制圧。大砲や銃のあつかいに慣れたイギリス人ふたりを配下に加えると、1810年にはハワイ諸島全域を支配下に治めて、ハワイ王国を建国。初代の王**カメハメハ1世**となった。

カメハメハ1世はヨーロッパの近代的文明を取り入れつつ、伝統文化も守った。人々には働くことや食べ物を栽培することを教えた。そんな王を、ハワイ王国の民は「王は農夫であり、漁師であり、機織りである。貧しいものには恵みをあたえ、父のないものには父親になってくれる」とたたえた。

カメハメハ1世が亡くなると、葬儀は島の伝統に則って行われたが、それまでのように人間の生贄は捧げられず文明的なものだった。

カメハメハ・デー

ハワイでは、6月11日はカメハメハ1世の記念日。

コラム

パリで生まれた新しい芸術

19世紀から20世紀にかけて、世界中から多くの芸術家が集まったパリでは、新しい芸術が次々と生まれていった。

印象派とアール・ヌーヴォー

かつて、西洋の絵画は神話や歴史的出来事などを題材にしていた。しかし、19世紀の中ごろになると、庶民の生活や風景を題材に、筆のタッチを生かして輪郭をぼかしながら描く、**「印象派」**とよばれる画家たちが現れる。

印象派の代表的な画家には、**マネ**（▼218）や**モネ**（▼220）、**ルノワール**（▼221）、マネの絵のモデルとしても知られる女性画家の**ベルト・モリゾ**（▼219）などがいた。印象派の絵画は、最初は美術関係者に相手にされなかったが、少しずつ認められるようになった。

印象派が登場した時代、ヨーロッパでは**ジャポニスム**とよばれる日本趣味

クロード・モネ
（▶220）

パリ生まれのフランス人画家。印象派の作風を確立した。

「印象・日の出」（マルモッタン美術館所蔵）

「舟遊びをする人々の昼食」
（フィリップス・コレクション所蔵）

ルノワール
（▶221）

フランスの画家。人々の日常の様子や人物画を数多く描いた。

が流行した。そのきっかけは、パリなどで開かれた万国博覧会に日本の美術品が出品されたことや、日本から輸入した陶器の包み紙に**浮世絵**が使われていたことなど。とくに印象派の画家たちは、**葛飾北斎**や**歌川広重**などが描いた浮世絵の表現方法に驚き、その技法を積極的にとり入れた。

また、新しい芸術を意味する**「アール・ヌーヴォー」**という、従来の様式にとらわれない、植物のモチーフを使った曲線を生かしたスタイルが流行。その中心にいたのは、世界的舞台女優の**サラ・ベルナール**(▶222)だった。**ミュシャ**が描いたサラ・ベルナールの舞台ポスターは話題となり、アール・ヌーヴォー様式の建築も次々と生まれた。

19世紀から20世紀にかけて多くの画家や芸術家が活動していたパリは、「芸術の都」とよばれるようになった。

フィンセント・ファン・ゴッホ(1853～1890年)

後期印象派のオランダ人画家。27歳から本格的に絵を描きはじめた。ただ、精神の病に苦しみ、自分の耳を切り落としたことも。最期は拳銃で自殺した。

「星月夜」(ニューヨーク近代美術館所蔵)

わたしの舞台のポスター、描いてくださいませんか？

ポスターの絵を依頼

わたしでいいのですか？精一杯がんばります！

サラ・ベルナール
(▶222)
フランスの世界的舞台女優

アルフォンス・ミュシャ(1860～1939年)

現在のチェコ出身の画家。女性と花や植物を組み合わせた、華麗かつ繊細な作風が特徴。晩年、ナチス・ドイツ(▶225)に尋問を受け、釈放されるも体調をくずし、亡くなった。

「ジスモンダ」
初めてミュシャが手がけた、サラ・ベルナールの舞台のポスター。

近代絵画に一石を投じた画家

エドゥアール・マネ

パリの印象派の画家

出身地：フランスのパリ
生没年：1832〜1883年
趣　味：浮世絵集め

こういう絵でもいいのでは？

今までの宗教画や歴史画とは異なり、レストランや公園など、「フランスの今」を描いた画家**エドゥアール・マネ**。裕福な家庭に生まれた彼は進路について父親と対立。ただ、受験に失敗したため、画家をめざすことを許された。師匠とはたびたび対立するが、巨匠の作品を模写して腕を磨いた。

その後、サロン※に作品を出展するも落選つづき。とくに「草上の昼食」「オランピア」の2作は、女神ではなく、生身の女性の裸体を描いたため、「いやしく恥知らずな作品」と、激しく批判された。

しかし、パリの万国博覧会で紹介された、日本の「浮世絵」などの影響も受けた明るい色調の作品は、その後の**印象派**誕生につながり、絵画界に革新を起こした。

「バルコニー」

オルセー美術館所蔵

左の女性は、ベルト・モリゾ(▶219)をモデルとしている。

※**サロン**：パリで開かれた、芸術アカデミーの公式展覧会。画家の登竜門となっていた。

マネの絵画のモデル

ベルト・モリゾ

フランスの印象派の画家

出身地：フランス
生没年：1841～1895年
性格：自立心旺盛

マネの言いなりにはならないわ！

フランスの上流階級の家に生まれた**ベルト・モリゾ**。幼少時に絵画を学び、姉をモデルにした風景画や肖像画をサロンに発表した。

27歳のころ、**マネ**(▼218)に出会う。9歳上のマネが師匠でモリゾが弟子という関係だったが、たがいに作品に影響をあたえ合う仲だった。また、モリゾは、「バルコニー」(▼218)など、マネの絵のモデルになっている。

ただ、マネがたびたび口出しすることが気に入らなかったモリゾ。1874年、マネの反対を押し切り印象派展に作品を出展すると、男性中心の絵画界で注目を浴び、**印象派**を代表する画家になった。

同年、マネの弟と結婚。結婚後は、マネの作品のモデルは一切やらなくなったという。

「化粧をする後向きの若い娘」

シカゴ美術研究所所蔵

第二回印象派展に出展された作品。上流階級の女性の日常をとらえている。

マネのマネではないよ！

パリの下町に生まれた**クロード・モネ**。16歳のときに海景画家と出会い、一緒に屋外デッサンをしたことで、自然の光の美しさに気づき、画家をめざすことを決意。

パリで絵画修行を開始したモネは、**ルノワール**(▼221)らと切磋琢磨して力をつけた。新人としてサロンに出展した際、**マネ**(▼218)の作品と同じ部屋に自分の絵が並んだことで、マネから、「わたしの名前をマネした売名行為だ」と怒られたことも。ただ、ふたりはその後親交を深めている。

1874年、第一回印象派展で「印象、日の出」を発表。大きな話題となり、**「印象派」**が確立された。晩年はパリ郊外の自宅で庭の睡蓮の池を描きつづけた。幻想的な連作「睡蓮」として残されている。

「睡蓮の池、バラ色の調和」

オルセー美術館所蔵

睡蓮を描いた作品のひとつ。版画家・歌川広重の影響を受けているともいわれている。

ルノワール

人物画に新しい境地を拓く

フランスの印象派の画家

出身地：フランスのリモージュ
生没年：1841〜1919年
特　技：絵画制作

人の美しさを描きたい！

幼少時から人並み外れた画才を発揮した**ルノワール**。13歳のころ、陶器工場で皿の絵つけの見習いとなり、その後、兄のもとで扇子の絵つけなどをしながら、ルーブル美術館で模写をする許可を得て、絵画の表現力を磨いた。

20歳のころ、ルノワールはアトリエに入り本格的な絵画修行を開始。アトリエ仲間の**モネ**(▼220)と親しくなり、印象派として活動。1870年代には「ムーラン・ド・ラ・ギャレットの舞踏会」など、日常を色彩豊かに描いた。

1880年代に入るとルノワールは、しだいに印象派と距離を置き人物画を中心に表現方法を追求。愛らしい子どもの姿や裸婦の美しさなどを描き、生命感にあふれた独自の世界をつくりあげた。

「ムーラン・ド・ラ・ギャレットの舞踏会」

オルセー美術館所蔵
第三回印象派展に出展された作品。印象派の傑作として知られている。

わたしを見て！　この声を聞いて！

大女優**サラ・ベルナール**は不幸な家庭環境に生まれた。父親は不明。母に捨てられ、叔母の元で育った。しかし、サラには生まれながらの美声があった。

叔母の愛人だった政界の大物にすすめられるまま、国立音楽演劇学校に入学すると、卒業後、18歳で舞台女優としてデビュー。その後、自ら一座を立ち上げた。

一座はロンドンを皮切りに世界各地を巡業。サラはその美貌と美声で女役も男役もこなし、「エルナニ」「フェードル」「トスカ」「椿姫」など多くの作品で人々を魅了、世界初の国際的スター女優となった。サラの存在は、ファッションの中心を王妃から女優へと変え、画家の**ミュシャ**（▼217）を見出すなど、世界の流行を変えた。

その後、映画の撮影機が発明されると、１９００年の「ハムレットの決闘」では、初の音声つき映画に挑戦している。１９１４年病気で右足を切断。それでも舞台への情熱はおとろえず、座ったままで演技し、生涯現役を貫いた。

8章 ふたつの世界大戦

主なできごと

世紀	年	できごと
19世紀	1866年	アルフレッド・ノーベル(▶233)、ダイナマイトを発明
20世紀	1903年	ライト兄弟(▶234)、世界初の有人動力飛行に成功
	1904年	日本対ロシアの**日露戦争**が起こる
	1914年	サライェヴォでオーストリア皇太子夫妻が暗殺され、**第一次世界大戦**が始まる
	1917年	**ロシア革命**が起こり、皇帝ニコライ２世(▶226)が退位
	1918年	ドイツ革命が起き、皇帝ヴィルヘルム２世(▶230)が退位 第一次世界大戦終結
		ロシアでニコライ２世一家が銃殺される
	1919年	**パリ講和会議**で**ヴェルサイユ条約**締結
	1920年	**国際連盟**成立
	1922年	イタリアでファシズム政権樹立 **ソヴィエト社会主義共和国連邦(ソ連)**樹立宣言
	1924年	ソ連でスターリン(▶242)が実権をにぎる
	1929年	ニューヨーク市場の株価暴落、**世界恐慌**が起こる
	1930年	インドでマハトマ・ガンディー(▼250)が**「塩の行進」**を行う
	1933年	ドイツでアドルフ・ヒトラー(▶243)が首相に就任。ナチス政権成立
	1939年	ナチス・ドイツがポーランドへ侵攻、**第二次世界大戦**が始まる
	1941年	**太平洋戦争**開始
	1945年	第二次世界大戦終結。**国際連合**成立
	1947年	アンネ・フランク(▶244)の死後、残された日記が出版される
	1949年	ドイツ連邦共和国(西ドイツ)、ドイツ民主共和国(東ドイツ)成立
	1959年	チェ・ゲバラ(▶253)らによる**キューバ革命**が起こる
	1964年	アメリカで、キング牧師(▶252)らの活動により、**公民権法**が成立
	1965年	**ベトナム戦争**激化
	1979年	マザー・テレサ(▶254)、**ノーベル平和賞**を受賞
	1989年	米ソ首脳が会談、**冷戦**終結宣言
	1990年	東西ドイツ統一
	1994年	南アフリカ共和国でネルソン・マンデラ(▶256)が大統領に就任
21世紀	2001年	アメリカで、**同時多発テロ**発生

どんな時代だったの?

ふたつの世界大戦

ヨーロッパの大国の対立

19世紀後半になり、電気や石油の普及で産業が発展したヨーロッパ各国は、さらなる領土や植民地を求め対立した。そして、国と国の間で協力関係がつくられ、**三国協商**側と、**三国同盟**側に分かれた。

各国の協力・対立関係

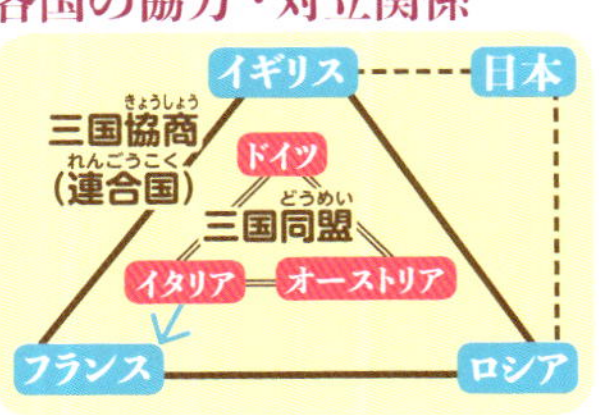

イタリアは領土問題でオーストリアと対立し、フランスに接近。戦争が始まると、日本とアメリカが、連合国側につき、オスマン帝国とブルガリアが同盟国側についた。

第一次世界大戦

20世紀初め、バルカン半島ではヨーロッパの大国による領土のうばい合いが行われていた。

1914年、オーストリア・ハンガリー帝国の支配下にあった**サライェヴォ**で、オーストリアの皇太子夫妻がセルビア人に暗殺された。オーストリアがセルビアに対し宣戦布告すると、ロシアはセルビア側で応戦。同盟国側と連合国側の間で、第一次世界大戦が始まった。

4年にわたる戦いはオーストリアの降伏とドイツの休戦で、1918年、連合国の勝利で終わった。

第一次世界大戦後、**国際連盟**がつくられ、国を超えた協力体制で、世界平和の維持がめざされた。

ロシアでは、大戦中の**ロシア革命**により**ニコライ2世**(▶226)が失脚。**ソヴィエト社会主義共和国連邦(ソ連)**が誕生し、その後**スターリン**(▶242)の独裁が始まった。

マップMAP **第一次世界大戦のヨーロッパ**

イギリス
オランダ
ベルギー
ロシア
ドイツ
ルーマニア
ポルトガル
フランス
オーストリア・ハンガリー
スイス
サライェヴォ
ブルガリア
スペイン
セルビア
イタリア
オスマン帝国
バルカン半島
ギリシア

同盟国側　連合国側　中立国

第二次世界大戦

1929年、世界経済の中心となっていたアメリカで株価が大暴落し、**世界恐慌**※が起こった。各国で自国を守ろうとする動きが強まると、イタリアの**ムッソリーニ**や、ドイツの**ヒトラー**(▼243)が、ファシズム※を掲げ、独裁を始める。日本も賛同し**枢軸国**を結成した。

各国の協力・対立関係

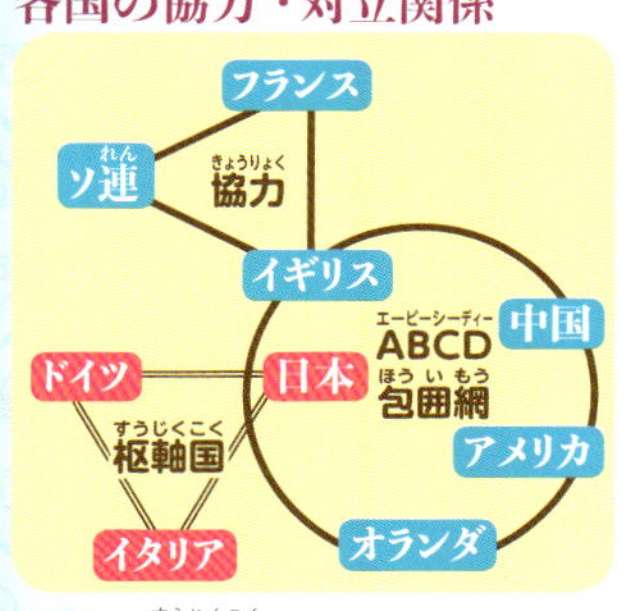

ヒトラー独裁の**ナチス・ドイツ**が1939年にポーランドに侵攻すると、イギリス、フランスが対抗。**第二次世界大戦**が始まる。1941年には日本もアメリカに宣戦布告し**太平洋戦争**に突入。アメリカ、イギリス、ソ連など**連合国**が優勢となると、イタリア、ドイツが降伏。最後は広島と長崎への原子爆弾の投下で日本も降伏し、大戦は終わった。

MAP 第二次世界大戦

ヨーロッパ戦線
イギリス
ドイツ
ポーランド
ソ連
フランス
イタリア
枢軸国
連合国
ドイツ軍の進撃
連合国の反撃

太平洋戦争
満州国
中華民国
日本
アメリカ
ハワイ諸島
フィリピン
日本軍の進撃
連合国の反撃

大戦後の世界

戦後、**国際連合**という国際平和機構がつくられた。一方でアメリカとソ連の間で**「冷戦」**(▼248)という対立も起きた。また、インドの**ガンディー**(▼250)らの独立運動や、アメリカの**キング牧師**(▼252)、南アフリカの**マンデラ**(▼256)らの差別をなくすための運動なども活発に行われるようになった。

そのころ日本は…
明治〜大正〜昭和

日本は、**日清戦争**や**日露戦争**、**第一次世界大戦**に勝利。強国となる一方で、アジアでの利益をめぐり、アメリカやヨーロッパの大国と対立した。その後、**日中戦争**を起こし、東南アジアへも侵攻した日本は、**太平洋戦争**を引き起こした。

※ **世界恐慌**：世界的な経済の大不況　※**ファシズム**：独裁的で排外的な支配をする政治体制。

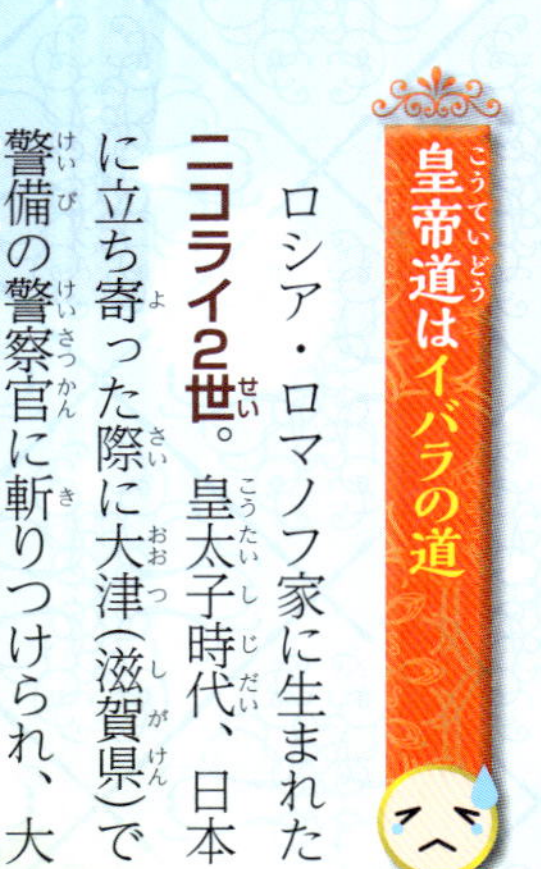

皇帝道はイバラの道

ロシア・ロマノフ家に生まれた**ニコライ2世**。皇太子時代、日本に立ち寄った際に大津（滋賀県）で警備の警察官に斬りつけられ、大事には至らなかったが頭に傷を残し頭痛に苦しむことになった。その後、父の死により26歳で、第14代皇帝＝ツァーリに即位した。

しかし、日本との**日露戦争**では苦戦、国内では反乱が起きた。中でも1905年1月9日の日曜日に首都で始まった労働者デモに対し、軍隊が発砲し多数の死者を出した「血の日曜日事件」以降、各地の反乱は激しさを増す。1914年からの**第一次世界大戦**では自ら最前線で軍を指揮するも、国土を占領されるなど苦境に立たされた。

反対勢力を弾圧したため「血まみれニコライ」とよばれた皇帝だが、家族を愛するよき父親でもあった。300年つづいたロマノフ家を息子の**アレクセイ皇太子**に残したい一心だったが、**ロシア革命**により家族全員が捕われ銃殺されてしまう。滅びゆく帝国と運命をともにした悲劇の一家だった。

愛息子の病に悩んだ王妃

イギリスの祖母**ヴィクトリア女王**(▼192)の元で育ち、22歳で**ニコライ2世**(▼226)と恋愛結婚した**アレクサンドラ**。なかなかロシア風の皇室になじめなかったが、皇帝である夫を「ニッキー」とよび、5人の子どもと温かい家庭を育んだ。愛する息子**アレクセイ皇太子**の病を治そうと、僧侶の**ラスプーチン**(▼229)を皇室にまねき入れるが、それが帝国崩壊へつながるとは夢にも思わなかった。

銃殺された悲劇の姉妹

ロマノフ家の第3皇女。父は**ニコライ2世**(▼226)。やさしくおだやかな性格で、母**アレクサンドラ**(▼227)に似た赤茶色の髪と、大きな青い目の美少女だった。趣味は絵を描くこと。**第一次世界大戦**のときは、看護師でもあった母やふたりの姉とともに、傷ついた兵士たちを見舞った。夢は兵士と結婚して、20人の子どもをもつことだったが、19歳で銃殺されてしまう。

アナスタシアは生きている!?

ニコライ2世(▼226)と**アレクサンドラ皇后**(▼227)の第4皇女として生まれた**アナスタシア**。周りの者は男子誕生を期待していたが、一家はモノマネが得意でいたずら好きな末娘をかわいがった。三女**マリア**(▼227)と大の仲よしで、3歳のときに生まれた弟、**アレクセイ皇太子**の面倒をよく見た。母がかざる花に囲まれ、ピアノをひき、庭では自転車に乗って楽しんだ。

しかし、幸せは長くつづかなかった。父が治めるロシア帝国は、革命によってその歴史に幕を閉じ、アナスタシアも一家と共に西シベリアに幽閉され17歳で銃殺された。

その後、政府によって死がかくされたため「わたしこそ、アナスタシアよ」と何人もが名乗り出た。中でもアンナ・アンダーソンは耳の形など似ているところも多く、皇族の関係者でないと知るはずがないことを話し、周りをおどろかせた。結局は偶然の一致だったが、1991年の遺骨発見で生存説が否定されるまで、悲劇の大公女の生存伝説は残りつづけた。

帝国を破滅へいざなう怪僧

グリゴリー・ラスプーチン

ロマノフ皇室おかかえの祈祷僧

出身地：ロシア
生没年：1869ころ〜1916年
性　格：するどい観察眼をもち狡猾

その手は神の手か、悪魔の手か…

シベリア南西部の農家に生まれた**グリゴリー・ラスプーチン**。兄の死のショックから巡礼者となる。聖母のお告げを聞き、※聖地巡礼からもどると、催眠術などを使い村人の病気を治し、予言を口にするようになった。その評判は、遠くロマノフ皇室にまでとどいた。

そのころ皇室は、皇太子の病に悩み、とくに皇后**アレクサンドラ**（▼227）は心を痛めていた。ラスプーチンは医者もあきらめたその病気を「もう治っている」と予言し、体をなでるだけで発作をおさえた。

皇后の信頼を勝ち取ったラスプーチンは、皇后から「わが友」とよばれるように。しかし、皇后をあやつり皇帝へ政治の助言をするまでになり、激怒した皇族やライバルに暗殺された。皇后にとっての「神の使者」は、帝国にとっては「悪魔」のような存在だった。

ひみつのエピソード　不死身!?

ラスプーチンは暗殺者に毒を飲まされても、拳銃で撃たれても死ななかった。最期は縄にまかれて川に投げ込まれたが、引きあげたときには縄はほどけていたという。

※聖地巡礼：宗教にとって大切な場所をめぐること。

最後の皇帝は問題児!?

ヴィルヘルム2世

ドイツ帝国最後の皇帝

出身地：ドイツ
生没年：1859～1941年
趣　味：歴史好き、旅行

強気の外交が反感買いまくり

ドイツ帝国第3代皇帝＝カイザーにして第9代プロイセン王の**ヴィルヘルム2世**。ロシア皇帝**ニコライ2世**(▶226)とはいとこ同士。

母の難産から左半身にマヒが残ったが、周りにはかくしていた。

29歳で即位すると、すぐに祖父**ヴィルヘルム1世**(▶203)の右腕だった宰相**ビスマルク**(▶202)をやめさせ、自ら政治を行う。まず外国へ進出するためベルリン・ビザンティオン・バグダードを鉄道で結ぶ**3B政策**をうち出し、海軍を強化。植民地拡大をねらった。

1894年、**日清戦争**で中国の清と日本が戦うと、この混乱を「極東進出のチャンス」と考えたヴィルヘルム2世。中国へ進出し、フランス、ロシアとともに三国干渉※で、台頭してきた日本にも圧力をかけた。しかし、強気な外交は、イギリスなど周辺国との対立を生み、**第一次世界大戦**をまねく。敗戦の色が濃くなると国内の不満が高まり、革命によってドイツ帝国は滅亡。自身はオランダへのがれ、82歳まで生きのびた。

※ 三国干渉：日清戦争で日本が手に入れた遼東半島を清に返還させ、その見返りに清から領土を借りた。

暗号名は「H21」

第一次世界大戦の少し前、パリにひとりの「東洋の舞姫」が現れた。舞姫の名は**マタ・ハリ**。黒髪、異国風の顔立ちで妖艶に踊る姿に人々は熱狂し、貴族や軍人のサロンへまねかれるようになる。

しかし、第一次世界大戦により舞姫の運命は大きく変わることに。マタ・ハリは、暗号名「H21」をもつドイツとフランスの二重スパイとしてフランス政府に逮捕されてしまう。女スパイは軍人の恋人になりすまして敵国の情報を盗むことが多く、マタ・ハリも各国の将校たちと親しくしていたため目をつけられたのだ。取調べの結果、マタ・ハリこと本名マルガレータ・ヘールトロイダ・ツェレはオランダ出身で娘までいた。身分をかくし各国に出入国したこともスパイの条件にあてはまった。

このときまで大戦の死者は数え切れず、人々の怒りをしずめるには裏切り者の処刑が必要だった。マタ・ハリは銃殺。しかし、スパイだったことを示す決定的な証拠は、見つかっていない。

コラム

第一次世界大戦と女性の社会進出

19世紀まで、女性は家で家庭を守るものとされてきた。しかし、第一次世界大戦をきっかけに、女性の社会進出が始まった。

戦争が女性の社会進出をあと押し!?

1914年から1918年にかけて起こった**第一次世界大戦**は、泥沼化した長期戦となった。参加国の国内では、男性が兵士としてかり出されたため、労働力不足が起こり、女性や青少年が労働力として動員され、弾薬などをつくる軍需工場で働くようになった。

大戦中の女性の活躍により、大戦後、それまで男性がほとんどだった職業にも女性がつけるようになり、女性の社会進出が進んだ。また、社会における女性の声が大きくなり、女性の参政権を求める運動も起こるなど、女性の社会的立場は向上していった。

女性向けファッションブランドの登場

働く女性の服を提案したり、香水をあつかったりするファッションブランドができたのもこのころ。

女性の服装

第一次世界大戦後は、それまでの体を締めつけ、レースなどの装飾の多い服に代わり、働く女性に合う、ゆったりとして動きやすい服装が流行した。

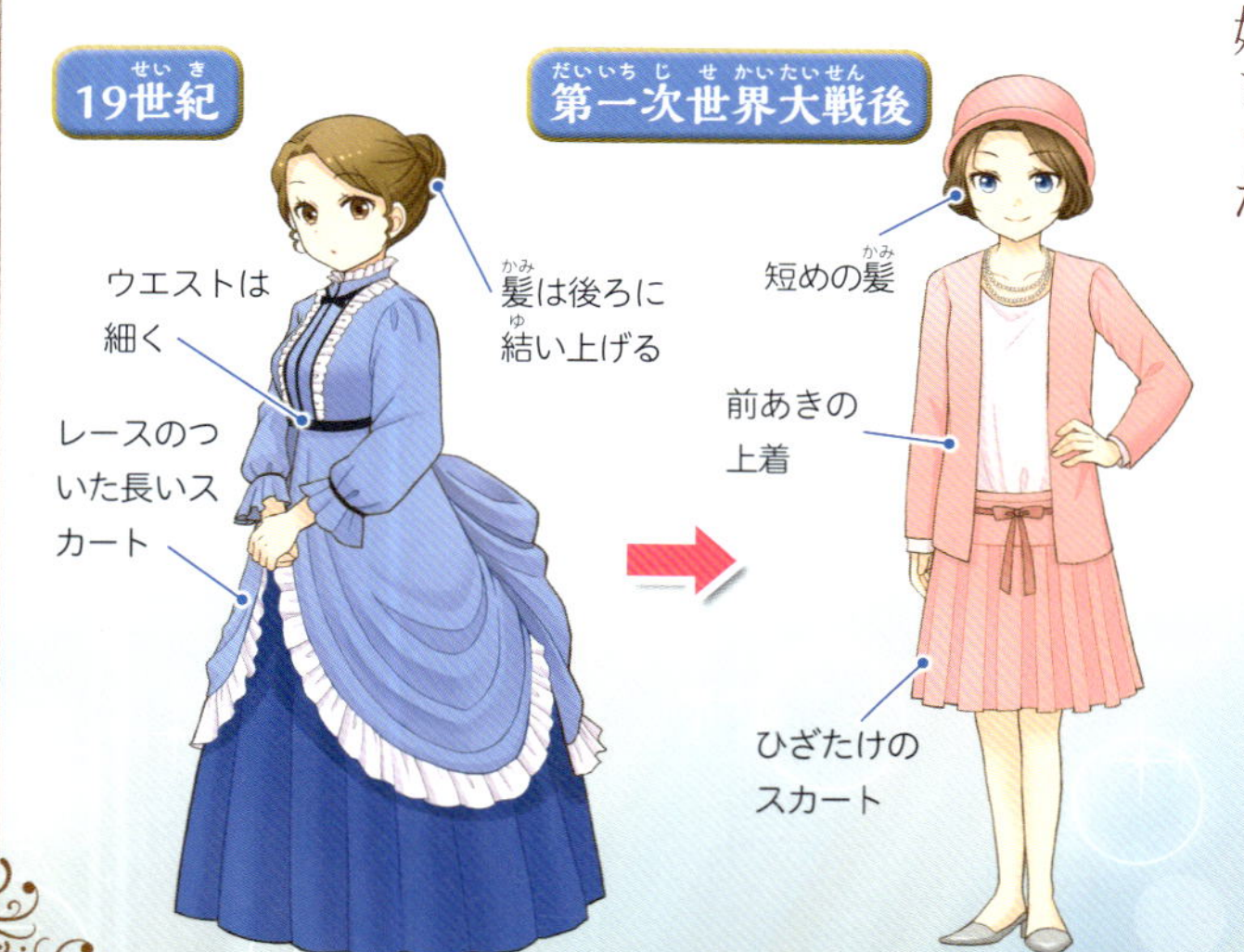

ノーベル賞を創設した「ダイナマイト王」

アルフレッド・ノーベル

発明家
出身地：スウェーデン
生没年：1833〜1896年
性　格：孤独を好む

平和主義者の遺言状

発明家の父がもつ兵器工場で兵器の開発にふれ、科学を学ぶようになった**アルフレッド・ノーベル**。勉強中に出合ったニトログリセリンという薬品から、ダイナマイトを発明する。大きな岩を一瞬で吹き飛ばすダイナマイトは、すぐに各国の鉱山や鉄道工事など過酷な作業現場で使われるようになった。ノーベルは世界中に工場を建ててダイナマイトを大量につくり、230億円もの資産を手にする。

一方で、ダイナマイトはその破壊力から、戦争で人を殺す道具として使われてしまう。「死の商人」とよばれるようになったノーベルは悲しみ、ダイナマイトで手にした財産を人類の未来のために使いたいと考えた。そして、科学などに貢献した人に、遺産から賞金をおくるよう遺言を残し、亡くなった。

死後**「ノーベル賞」**基金が設立。毎年、物理学、化学、医学生理学、文学、平和、経済学の6分野ですぐれた業績を残した人に賞金が授与されるようになった。

世界初の有人動力飛行に成功！

ライト兄弟（ウィルバー＆オーヴィル）

飛行機の発明者

出身地：アメリカ
生没年：兄：1867〜1912年
　　　　弟：1871〜1948年
性　格：兄：まじめで冷静
　　　　弟：やさしく活発

いっしょに空をめざそう!!

幼いころから、いつもいっしょに機械いじりをしていた兄**ウィルバー**と弟**オーヴィル**。高校卒業後、兄弟で「ライト自転車商会」を始め、自転車を共同開発。やがて、空を飛ぶことに挑戦するようになる。

プロペラとエンジンをつけたグライダーを完成させると、危険をかえりみず、砂丘や草原でフライト実験をくり返した。

1903年12月17日10時35分。キルデビルヒルズの空に、弟のオーヴィルが操縦する12馬力のエンジンをつんだ「ライト・フライヤー号」機が飛んだ。飛行距離259メートル、飛行時間59秒。短くても偉大な世界初のフライトとなった。

アイテム　飛行機

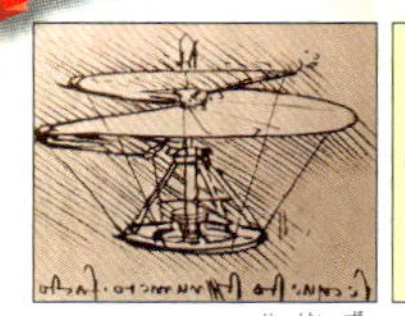

ダヴィンチの設計図

ライト・フライヤー号

万能の天才レオナルド・ダヴィンチ（▶100）も、飛行機の設計図を書いていた。それから約４００年後、ライト兄弟の飛行機が大空へ飛び立った。

もしもし、電話機を発明したベルです

グラハム・ベル

電話を発明した物理学者
出身地：スコットランド
生没年：1847〜1922年
性　格：好奇心旺盛

声を電流に乗せ、耳の聞こえない人にとどけたい

グラハム・ベルは幼いころから実験好きで、父が耳の不自由な人の先生だったため、とくに音声に興味があった。ベルが12歳のとき、音楽好きだった母が耳を悪くしたこともあり、ベルは25歳になると耳の不自由な人のための学校をつくり、言葉の教育に尽くす。このころ幼い**ヘレン・ケラー**(▶238)に出会い、**アン・サリヴァン**(▶239)を家庭教師として紹介している。

ある日、個人レッスンをしていたベルは、それまでの視話法や発声法では相手に十分に伝わらないのでは、と考えた。そこで、音を電流に乗せて耳にとどける方法を試してみることに。機械にくわしい**トーマス・ワトソン**に手伝ってもらって開発したのが「電話」だ。1876年3月10日、「ワトソン君、こっちに来てくれ」が世界で初めての電話での会話だった。

その後特許を取り、電話を広める会社をつくったが、ベルは研究に集中するため「わたしの部屋には電話をおかないでくれ」と言っていたという。

実験好きのなぜなぜ少年

トーマス・エジソンは何でも「なぜ？　なぜ？」と質問する少年だった。学校にはなじめず、母と図書館の本からいろいろなことを学んだ。科学が好きで、実験の費用は自分で野菜や新聞を売ってかせぎ、実験にのめりこむと食べるのも寝るのもわすれてしまうほどだった。

そんな実験好きは、大人になっても変わらない。「相場表示機」でかせいだ4万ドルをつぎ込み、会社をつくり、専用研究所を建てた。

エジソンは84歳で亡くなるまでに1300以上もの発明をしている。白熱電球を発明したときは、何日も夜もねむらず実験をくり返した。こうした努力から世に送り出された発明品は、蓄音機、映写機、無線機、トースター、自動ネズミ捕り器までさまざまだ。

アイテム　白熱電球

エジソンは白熱電球に、日本の京都の竹でつくったフィラメントを使っている。実験を重ねて選び出したという。

（写真提供：国立科学博物館）

世界を明るく照らしたエジソンのライバル

ニコラ・テスラ

交流電気や蛍光灯の発明家

出身地：オーストリア南部（現・クロアチア）
生没年：1856〜1943年
趣　味：読書、数学

エジソン相手に電流戦争だ!!

「交流発電機」を発明した**ニコラ・テスラ**は、「直流発電機」を使ったシステムで世界中に送電しようとした**エジソン**（▼236）と対立していた。エジソンは「交流は電気椅子処刑に使われた!!」と危険性をうったえ、対するテスラは、安全性をアピールするため、100万ボルトの交流を体に通して灯りをともす実験を公開。

1893年、ナイアガラの滝の発電所に交流システムが採用されたことで、テスラは電流戦争に勝利したのだった。

テスラは、先を行き過ぎた発明品から、専門家にも理解されず、「マッド・サイエンティスト（狂った科学者）」とよばれた。しかし、無線操縦（ラジコン）や電気モーターなどの発明無くして、現在の家電や携帯電話は存在しない。

アイテム 交流電流

直流電流と比べ、電圧を変えられ、電気を遠くまで送れるのが長所。コンセントや蛍光灯を流れているのも交流電流。

ヘレン・ケラー

社会福祉につくした教育家
出身地：アメリカ
生没年：1880〜1968年
尊敬する人：塙保己一（盲目の国学者）

ものには名前がある!!

ヘレン・ケラーは幼児のときに熱病にかかり、見ること、聞くこと、しゃべることができなくなった。光と音を失った不安から、とてもわがままに育ったヘレンを心配した両親は、家庭教師として**サリヴァン**（▼239）をやとう。

ヘレンとサリヴァン先生は「視話法」※によって、心を通わせるようになる。そして、水にふれたとき、それに「water（水）」という名前があることを理解した。それから わずか3か月の間に300もの言葉を覚え、文字盤を使って字も書けるようになった。

14歳からは、ろうあ学校へ通って発声法や指での読唇法を身につけると、ハーバード大学への入学をはたし、語学、歴史などを学び、本を出版。文学士の資格も取った。

卒業後は、同じように障害をもつ人のために自分の経験を役立てようと、日本をはじめ世界各地で講演を行った。また、女性や黒人など、弱い立場にいる人の権利を守る活動や反戦運動にも積極的に加わり、希望の光をあたえた。

※ **視話法**：口の開き方を学び、発音の仕方を習得する方法。

ヘレン・ケラーを導いた「奇跡の人」

アン・サリヴァンは幼いころ目の病気にかかり、だんだんと視力を失った。それでもわずかな光をたよりに本を読んで学び、盲学校を卒業。手術で視力を取りもどすと、視覚障害をもつ人の役に立ちたいと思うようになる。

20歳のとき、**グラハム・ベル**(▼235)から三重の障害をもつ**ヘレン・ケラー**(▼238)を紹介されて家庭教師になったが、ヘレンはわがままでやりたい放題の少女だった。ひとの物をとって食べたり、かみついたりするヘレンを、アンは愛をこめて、厳しくしかった。やがてアンのことを信頼し、指文字などで会話ができるまでになったヘレンは、大学へ入学する。アンは常に寄り添い、授業内容を通訳し、友だちとの会話をたすけた。

ヘレンの大学卒業後は、世界各地をめぐり、いっしょに暮らすが、アンは亡くなる前には全く目が見えなくなっていた。「奇跡の人」とはアン・サリヴァンのこと。ヘレンは著書の中で「サリヴァン先生はわたしの半分」と書いている。

実験って何て楽しいの！

マリア・スクロドフスカ（のちの**キュリー夫人**）は幼いころから頭がよく、何でも姉たちより先に覚えるので、母から絵本を禁止されたほど。家庭教師をして学費をかせぎパリの大学へ入ると、恋愛には興味ゼロで研究に打ちこんだ。

卒業後にまじめなフランス人物理学者**ピエール・キュリー**と恋に落ち結婚すると、夫婦は研究者としても最高のパートナーとなる。雨もりする倉庫でウランの研究をつづけていると、未知の元素「ラジウム」を発見。のちにラジウムがガン治療に効果があることがわかり、1903年に夫婦は**ノーベル物理学賞**を受賞。マリアの受賞は女性で初めてのことだった。

その後、事故でピエールを失ったが、悲しみをこらえて研究に打ちこみ、1911年には**ノーベル化学賞**を受賞。初のノーベル賞2回受賞という快挙を成しとげた。

マリアは長年の放射能実験での被ばくによる白血病で死去。その後、長女イレーヌも、ラジウム研究でノーベル化学賞を受賞した。

戦争と発明品

生活をよくするために生み出された発明品や技術は、戦争が起こると、戦いに勝つための道具へと変えられていった。

さまざまな発明品が使われた第一次世界大戦

史上初の世界戦争といわれる第一次世界大戦では、缶詰が兵士の食事として用いられ、トレンチコートや腕時計が欠かせない装備となった。また、ティッシュペーパーは脱脂綿の代用品として使われたほか、毒ガスで攻撃されたときのフィルターとしても使われた。

第一次世界大戦では、新しい武器も発明された。アメリカの**ライト兄弟**(▶234)によって発明された**飛行機**は、1903年の初飛行では、滞空時間は59秒、飛行距離はわずか259メートルだったが、約10年後の大戦のときには、戦闘機や爆撃機となっていた。また、銃弾から身を守りながら、相手のざんごう(兵士がかくれる溝)を乗り越えるために、イギリス軍が**戦車**を使用した。

化学兵器として、**毒ガス**も使われた。毒ガスの製造には、もともとは食料難を救うために開発された、化学肥料などをつくる「ハーバー法」という技術が応用された。ハーバー法の考案者であるドイツ人科学者**フリッツ・ハーバー**は、進んで毒ガス製造に協力したため、のちに「毒ガスの父」とよばれるようになった。

飛行機(戦闘機)

当初は上空からの偵察用だったが、爆弾を落とすようになる。

戦車

イギリス軍がざんごうを乗り越えるために使用した。

毒ガス

ドイツ軍がざんごうにかくれる相手を攻撃するために開発した。

共産主義のためには手段は選ばん！

スターリンはペンネームで「鋼鉄の人」の意味。神学校に通う優等生だったが、カール・マルクスの「共産主義」※に共感し、革命運動に関わるようになる。

22歳でロシア社会民主労働党へ入党。指導者レーニンのもとで反政府運動をくり返し、何度も投獄や追放をされるも、そのたびに脱走した。1917年、十月革命を先導。これによって、ソヴィエト社会主義共和国連邦（ソ連）が誕生した。スターリンは共産党ナンバーワンに上り詰めると、レーニンの死後、数十万人の反対派を追放または処刑。この「大粛静」で歯むかうものを消し去り、独裁政治を開始した。

1939年、ヒトラー（▼243）のドイツと、お互いの国には攻めこまないという条約を結ぶと、第二次世界大戦が始まった。大戦中、条約を無視して攻めてきたドイツと戦い、勝利。東欧を支配下に入れた。第二次世界大戦後も独裁政治は変わらず、国内外から批判を受けつづけた。

※共産主義：いろいろなものが共同所有される、階級のない社会をつくるという考え方。

史上最悪、残虐な独裁者

アドルフ・ヒトラー

ナチス・ドイツの総統
出身地：オーストリア
生没年：1889～1945年
性　格：残虐

アドルフ・ヒトラーの人生は失敗の連続だった。中学に進めず、美術学校受験に失敗。ドイツ移住後は路上生活をしていた。**第一次世界大戦**後、ドイツ労働者党（のちのナチス）に入党。巧みな演説により党首になるがクーデター未遂で逮捕。それでも牢獄で『我が闘争』を書き、思想を発信しつづけた。「ドイツこそ一番だ!!」「ユダヤ人を追いはらえ!!」とうったえる演説で人々の愛国心を高め、国民から崇拝されるまでになったヒトラー。首相に選ばれ、当時の大統領が亡くなると、権力を独占し、独裁政治を行うようになった。

軍を強化したナチス・ドイツは、隣国へ次々と攻め入り、**第二次世界大戦**を引き起こした。さらには、「国をもたない民」ユダヤ人がドイツに害をなすと決めつけ、罪もない人たちを強制収容所へ送り、容赦なくガス室などで大虐殺したのだった（ホロコースト※）。

1945年、**スターリン**（▼242）のソ連軍にベルリンを包囲され、独裁者ヒトラーは自ら命を絶った。

※ホロコースト：ナチス・ドイツによるユダヤ人の大虐殺。600万人ものユダヤ人が殺されたという。

日記とともに生きつづける少女

アンネ・フランク

『アンネの日記』の著者

出身地：ドイツ
生没年：1929～1945年
将来の夢：作家になること

ドイツでの幸福な暮らし

父は銀行の経営者、母は芸術を愛するおしゃれな女性。そんな家庭に生まれた**アンネ・フランク**はおしゃべり好きな女の子だった。姉のマルゴーを入れた一家４人は、親せきといっしょに広いアパートで、花やきれいな家具に囲まれ、楽しくにぎやかに暮らしていた。

オランダへ、そしてかくれ家へ

当時ドイツではユダヤ人をきらう**ヒトラー**(▼243)が政権をにぎり、ヨーロッパ各地でユダヤ人の迫害が始まっていた。アンネの両親はともにユダヤ系だったため、一家はオランダへ移り住むことを決めた。アンネは持ち前の明るさで友だちをつくり、９歳のころには作家を夢見るようになった。

しかし、**第二次世界大戦**が始まると、アンネの暮らしは大きく変わっていく。１９４０年にドイツ軍がオランダに侵攻し、ユダヤ人を捕まえて強制収容所へ送りはじめたのだ。一家は父の会社の奥にかくれ家をつくり、４人のユダヤ人といっしょに暮らしはじめた。

アンネは、13歳の誕生日に父からプレゼントされた日記帳に、かくれ家での生活を書いた。父の友人がこっそり食料を持ってきてくれたが、風呂はなく、夜に会社で水を浴びるほかは外出もできない。アンネの楽しみは日記や小説を書くことだけになった。

１９４４年８月４日、かくれ家にナチスの警官が踏み込んできた。８人は捕えられ、アンネは姉とともにポーランドのアウシュヴィッツ強制収容所へ送りこまれる。そして別の収容所に移された先で病気にかかり、15歳で亡くなった。

戦後、かくれ家から見つかった日記を、父は『アンネの日記』として出版、世界各国で翻訳された。

『アンネの日記』より、１９４４年４月５日「わたしはずっと、死んだあとまで生きつづけたい」。アンネの願いがこめられている。

戦争に振り回された天才

アルベルト・アインシュタインは学校ぎらいで無口な少年だった。大学受験にも失敗。しかし、26歳のとき、働きながら発表した「光量子仮説」「ブラウン運動の理論」「特殊相対性理論」などの論文で、物理学界に革命を起こす。はじめは一般人の論文とバカにされていたがしだいに認められ、大学教授になった。その後「一般相対性理論」を発表。これらの論文によりノーベル物理学賞を受賞した。

1933年、ドイツで**ヒトラー**(▼243)率いるナチスが政権をにぎると、アメリカに滞在していたユダヤ系のアインシュタインは、迫害をおそれて帰国をあきらめた。当時の**フランクリン・ルーズベルト大統領**に「ナチスが原子力爆弾を開発している」と警告文を送ったところ、それに対抗してアメリカで**マンハッタン計画**(原子爆弾製造計画)が発動。日本への原爆投下が実行された。ひどく心を痛めたアインシュタイン。**第二次世界大戦**後は、核兵器廃絶を強くうったえ平和活動に力を注ぐのだった。

無言のメッセージをとどけた喜劇王

チャールズ・チャップリン

イギリスの俳優・映画監督

出身地：イギリス
生没年：1889〜1977年
好きな和食：天ぷら

好評!! パントマイム

チャールズ・チャップリンの初舞台は5歳のとき。芸人の母がのどを痛めたため代役で歌を歌った。床屋などをしながら俳優をめざし、パリで人気の劇団への入団がかなうと、パントマイムや道化の芸を覚えた。アメリカ巡業の際、映画会社の人の目にとまり映画デビュー。このころの映画は音とセリフがないサイレント映画だったが、山高帽にちょびヒゲでステッキをふり回すチャップリンのひょうきんな動きは評判になった。

絶望してはいけない

チャップリン映画の笑いの裏には、貧しい人びとへの愛と共感がかくされていて、見る人の大きな笑いと少しの涙をさそう。**第二次世界大戦**開戦の翌年につくられた『独裁者』には、**ヒトラー**(▼243)への強い批判がこめられていて、映画の最後には、迫害されている人へむけ「絶望してはいけない」というメッセージが収録された。喜劇王チャップリンには、第1回アカデミー賞特別賞がおくられた。

コラム

冷戦って何？

第二次世界大戦後、アメリカとソ連の間では、冷戦という対立による緊張状態が40年以上にわたってつづいた。

アメリカとソ連の「冷たい戦争」!?

第二次世界大戦以降、※社会主義をかかげるソ連に賛同する国が東欧に次々と生まれ、危機を感じた※資本主義国家のアメリカは、ソ連と対立。アメリカとソ連との間で冷戦が始まった。

両国により、ドイツは東西に分割され、朝鮮半島とベトナムでは、南北に分かれた戦争が行われた。また、核兵器の製造競争によるビキニ環礁での水爆実験で、日本漁船が被ばくする事件も起きた。

40年以上つづいた冷戦は、1989年に終結。翌年、東西に分かれていたドイツは統一され、1991年にはソ連が解体。現在のロシアが誕生した。

冷戦期の主なできごと

（米＝アメリカが支援、ソ＝ソ連が支援）

国・地域	年	できごと
①ドイツ	1948年	ベルリン封鎖により東西ベルリン分断（ソ）。
	1949年	西のドイツ連邦共和国（米）と東のドイツ民主共和国（ソ）が成立。
	1961年	ベルリンの壁が築かれ、東西に完全に分断される。
②中国	1949年	中華人民共和国（ソ）が誕生。それまでの中華民国（米）の政府は、台湾へ移った。
③朝鮮半島	1948年	南北に分断され、南は大韓民国（韓国）（米）、北は朝鮮民主主義人民共和国（北朝鮮）（ソ）となる。
	1950年	南北の間で朝鮮戦争が起こる。
④キューバ	1959年	キューバ革命が起こり、社会主義宣言をする（ソ）。
	1962年	ソ連がミサイル基地をつくろうとして緊張が走る（キューバ危機）。
⑤ベトナム	1965年	南部（米）と北部（ソ）に分かれていたベトナムで、ベトナム戦争が激化。

※ 資本主義と社会主義：資本主義は個人がかせぎ財産をもてる。社会主義は政府の管理により平等な社会をめざす。

戦場を撮り、戦場に散る

ロバート・キャパ

戦争カメラマン

出身地：ハンガリー
生没年：1913～1954年
特技：体育

決定的瞬間を撮る！

「**ロバート・キャパ**」は仕事用の名前で、本名はアンドレ・フリードマン。19歳のとき演説するロシアの革命家**トロツキー**を撮って、カメラマンとしてデビュー。スペイン内戦で撮影したとされる「崩れ落ちる兵士」をフランスの雑誌『ヴュ』に発表して有名になる。のちにアメリカの雑誌『ライフ』のカメラマンとして**第二次世界大戦**のノルマンディー上陸作戦に同行し、海から敵地に上陸するアメリカ兵を激写した。

戦争の合間はパリなどのホテルで、友人たちとすごすことが多く、作家**ヘミングウエー**や画家**ピカソ**のくつろいだ様子が写真に残っている。また『カメラ毎日』の創刊記念で来日し、京都、神戸などで日本人の生活を写した。日本にいるときに、インドシナ戦争の取材依頼を受けてベトナムへ飛んだ。

「戦争カメラマンは失業することがいちばんの幸せ」と言っていたが、5つの戦争※を撮りつづけたキャパは、ベトナムでの取材中に地雷を踏み、命を落とした。

※5つの戦争…スペイン内戦、日中戦争、第二次世界大戦、第一次中東戦争、インドシナ戦争の5つ。

偉大なるインド独立の父

マハトマ・ガンディー
インド独立の指導者
出身地：インド
生没年：1869〜1948年
特　技：断食

これが人種差別か…

インドの恵まれた家に生まれた**ガンディー**は、18歳のときロンドンへ留学し弁護士の資格を取る。24歳からイギリス植民地である南アフリカで仕事を始めたが、ここで、激しい人種差別を受ける。

ガンディーは差別への抗議で、イギリス政府相手に武器や暴力を使わない闘いをいどんだ。この非暴力の抵抗運動は政府をなやませた。武器を持たない人をなぐるわけにはいかないからだ。ガンディーは22年間この運動をつづけたのち、**第一次世界大戦**中の1915年、イギリス支配下のインドに帰国する。

非暴力で戦うんだ!!

間もなく大戦は終わるが、イギリス政府は戦時中にかわしたインド独立の約束を守らないどころか、反抗するインド人400人を殺したのだ。怒ったガンディーは、のちに首相となる**ネルー**らとともにイギリスへの抵抗運動を始めた。ガンディーは国中を歩き、人びとに運動の意味を話した。例えばイギリス製の綿製品は買わず「ボイコット」し、自分たちで糸をつむぎ手づくりすることで、イギリス側にお金がまわらないようにした。

インド全土に運動は広がったが、イギリス政府は生活に欠かせない塩に重い税金をかけ反撃してきた。「買えなければ、塩をとりにいこう」と、ガンディーを先頭に390キロ先の海までの行進を始めると、大勢の人が加わり、**「塩の行進」**として世界中に知れわたった。

第二次世界大戦が終わって間もない1947年、インドはイギリスから独立を勝ち取る。のちにガンディーは暗殺されてしまうが「マハトマ（偉大なる魂）」とよばれ、人びとから尊敬された。非暴力の抵抗運動は、**キング牧師**(▼252)や**ダライ・ラマ14世**など世界中の平和主義者に受け継がれていく。

差別のない国をつくりたい

キング牧師

黒人解放運動を指導した牧師

出身地：アメリカ
生没年：1929～1968年
得意科目：哲学

わたしには**夢がある！**

「キング牧師」の名で知られる**マーティン・ルーサー・キング・ジュニア**は、アメリカ南部の都市モンゴメリーで牧師の仕事についた。この都市では当時、白人優先のバスが走っていた。ある日、白人に席をゆずらなかった黒人女性が逮捕された。キング牧師はこれに抗議して仲間とバス・ボイコット運動を起こすと、**ガンディー**(▶250)にならい、暴力を使わないデモ行進を行った。活動中、非暴力の参加者に警官がおそいかかり、何人もが逮捕されるが、ニュースは大きく報じられ、白人の間にもデモを支持する人が出てきた。

首都ワシントンで行われたデモ行進には25万人が参加。聴衆の前でキング牧師の演説が始まった。「I have a dream(わたしには夢がある)…いつの日か4人の子どもが、皮膚の色でなく、人がらで評価される国に住むことが夢だ」。

1964年、黒人と白人の平等な権利を認める**公民権法**が成立。キング牧師はノーベル平和賞を受賞するも、白人の凶弾にたおれた。

中南米のカリスマ革命家

チェ・ゲバラ

キューバの革命家

出身地：アルゼンチン
生没年：1928～1967年
趣　味：旅、読書

革命に捧げた一生

ゲバラは中流家庭の医学生だったが、バイクでチリやペルーをまわり貧しい生活を目にして社会問題に関心をもった。卒業後、「国をなおす医者になる」とグアテマラ革命に参加するも失敗。のがれた先のメキシコで、キューバからのがれてきた**カストロ**と出会い、いっしょに独裁政権をたおそうと**キューバ革命**を志す。

小船で密入国したキューバでは、学校や病院を建てて農民を味方につけ、ラジオや新聞などで情報を流し、ゲリラ戦を指導。1959年、首都ハバナを制圧して革命を成功させると、経済発展に力を注いだ。また、国際会議の席で「世界の国々が手を合わせて帝国主義に立ちむかうべきだ」とうったえた。

キューバの経済安定を確かめると、ボリビアに渡り民族解放軍を組織し、ラテンアメリカ革命をめざした。しかし、成功を待たずしてボリビア政府軍に捕まり射殺された。ゲバラの思想や生き様は、今でも熱烈な支持を集めている。

貧しい人のために生きた聖女

マザー・テレサ

インドで活動した修道女

出身地：マケドニア
生没年：1910〜1997年
尊敬する人：聖テレジア（カトリック教会の聖人）

これがわたしの使命

テレサは小さいころから教会に通い、14歳のころには修道女になる決心をしていた。ロレット修道会に入り18歳でインドに渡ると、シスター（修道女）となり、19年間、女学校で地理などを教えた。**第二次世界大戦**が終わるころ、修道院の周りは、貧しい人や病人であふれた。テレサは彼らに仕えることこそが使命と悟り、質素なサリー※に着がえ修道院を出た。

テレサが貧しい人とともに生活し、子どもたちに勉強を教えていると、やがて女学校の教え子や町の人が集まり、ともに活動するようになった。テレサはこの集まりを「神の愛の宣教者会」とよんだ。ローマ法王に正式な修道会と認められると、「マザー」がテレサのよび名になる。のちに「死を待つ人の家」「孤児の家」などをつくり、その活動は世界に広がった。

テレサは1979年にノーベル平和賞を受賞。「わたしではなく貧しい人の名においてありがたくいただきます」とスピーチし、賞金は貧しい人のために使われた。

※**サリー**：インドなどの国で女性が着る民族衣装。

戦いつづける「鉄の女」

マーガレット・サッチャー

イギリスの首相

出身地：イギリス
生没年：1925〜2013年
特　技：卵ダイエット
（2週間で9キロ減量！）

わたしが世界をリードする

マーガレット・サッチャーは、名門オックスフォード大学で学び、働きながら弁護士資格をとった才女。1959年の下院議員当選の後、女性初の保守党党首を経て、1979年の総選挙に大勝利。イギリス初の女性首相が誕生した。

当時のイギリスは、**オイルショック**※などが原因で国の力が弱まり、外国との競争についていけない「英国病」といわれる状態だった。そこで、サッチャー首相は、国の仕事を民間に分けて仕事を増やし、景気回復をめざした。

また、外国に対しては強気な態度で臨み、アルゼンチンとの**フォークランド紛争**に勝利。このときの「たとえ人の命が失われたとしても、国の土地を守る」という発言や、強気な態度から「鉄の女」とよばれるようになった。

アメリカとロシアの間に入り、両国間の**冷戦**を終結へと導くなど、世界にも影響をあたえたサッチャー。その死の知らせに、世界中から功績をたたえる声が上がった。

※**オイルショック**：1973年と1979年に起こった、石油の価格高騰による世界的不況。

囚われの身から大統領へ！

南アフリカで生まれた**ネルソン・マンデラ**。当時南アフリカはイギリスの植民地で、肌の色が違うだけで白人からひどいあつかいを受ける人たちを見て育った。

そんな人たちをさらに苦しめたのが、政府の**アパルトヘイト政策**だった。この人種差別政策により黒人たちは教育を受けられず、選挙権もなくなった。

ネルソンは法律を勉強し、南アフリカの独立をめざす人たちとともに、政府に立ちむかう不服従運動を始める。危険人物だとして、何度も逮捕され、終身刑まで言いわたされるが、ネルソンは刑務所の中からも自由と平等を叫びつづけた。するとその声はニュースや歌に乗って世界に広まり、政府は非難をあびることに。

27年間を刑務所ですごしたネルソンが釈放されると間もなく、アパルトヘイトがなくなった。のちにネルソンはノーベル平和賞を受賞。1994年、黒人も参加して選挙が行われ、75歳のネルソン・マンデラ大統領が誕生した。

9章 激動の中国

主なできごと

時代	年	できごと
前5～前1世紀	前5世紀初めごろ	孔子（▶260）が教えを説く
	前221年	秦の始皇帝（▶261）、中国統一
	前202年	劉邦（▶263）、漢（前漢）を建国
	前141年	武帝（▶264）が漢の皇帝に即位
	前91年ごろ	司馬遷（▶265）、『史記』を完成
	前1世紀末ごろ	仏教が中国へ伝わったとされる
1～6世紀	208年	赤壁の戦いで、劉備（▶268）、孫権（▶272）が曹操（▶267）を破る
	220年	魏が建国される。この時代は三国時代とよばれる
	280年	晋が中国統一
	304年	五胡十六国時代に突入
	439年	南北朝時代に突入
	589年	隋が中国統一
7～13世紀	618年	唐が中国統一
	645年	玄奘（▶273）、インドより唐に帰国
	690年	則天武后（▶274）が即位
	712年	玄宗（▶275）が即位
	745年	楊貴妃（▶276）が玄宗の妃になる
	907年	唐が滅亡、五代十国時代に突入
	979年	宋（北宋）が中国統一
	1127年	宋、金に滅ぼされる 高宗が南宋を建国
	1271年	モンゴル帝国の皇帝チンギス・ハン（▶279）の孫のフビライ・ハンが元を建国
14～18世紀	1368年	明が中国統一
	1405年	明の永楽帝（▶280）により、鄭和（▶281）の第1回南海遠征が行われる
	1624年	オランダ、台湾を占領
	1644年	明が滅亡し、清が支配
	1661年	鄭成功（▶283）、台湾でオランダ軍を破り、追い出す
19～20世紀	1894年	日清戦争が起こる
	1911年	辛亥革命が起こる
	1912年	孫文（▶285）が中華民国建国を宣言、清は滅亡
	1937年	日中戦争開始（～1945年）
	1949年	中華人民共和国が成立

どんな歴史だったの?

激動の中国

統一・分裂・支配をくり返した中国7000年の歴史

今から7000年ほど前、中国に文明が生まれ、前221年、初めて中国を統一したのが**秦**だった。**漢**が栄えたあとは、**劉備**(▶268)などの英雄が活躍した**三国時代**となり、分裂。**唐**の時代には、首都・長安が国際的な大都市となった。**宋**が北方民族の侵入で滅亡すると、モンゴル民族の**元**が支配。**明**の時代に漢民族の手にもどるが、次は満州族の**清**が支配。**孫文**(▶285)らの革命によって、漢民族の国家、**中華民国**が生まれ、その後、現在の**中華人民共和国**となった。

618	581		304	280	220		前202	前221	前770ころ	前11世紀ころ
唐	隋	分裂(五胡十六国、南北朝)	晋(西晋)	三国時代	漢(後漢・前漢)		秦	春秋・戦国時代	周	

トピック1
始皇帝

秦の始皇帝が初の中国統一!

すぐれた文化の中心「**中華**」とよばれる国をつくろうと、**秦**を建国。北から侵入してくる異民族は、**万里の長城**を築きブロックした。

(くわしくは▶261)

トピック2

劉邦が項羽をたおし、漢を建国!

(くわしくは▶262〜265)

トピック3

英雄たちが激突した三国時代!

(くわしくは▶266〜272)

トピック4

遣隋使・遣唐使で日本と交流!

隋や唐の時代には、日本からの使節が、中国のすぐれた文化を学びにやってきた。

(くわしくは▶273〜278)

アイテム 中国の四大発明

中国で発明された技術は、ヨーロッパなどへと伝わり、時代を大きく動かした。

紙

印刷術

火薬

羅針盤

万里の長城

秦の時代につくられた、北方からの異民族の侵入をふせぐ壁。現在の城壁は明の時代に築かれたもの。

1949	1912	1644	1368	1271	1127	960	907
中華人民共和国	中華民国	清	明	元	金 南宋	宋（北宋）	分裂（五代十国）

トピック7

満州族の王朝・清が、列強と戦争！

清は領土を広げるが、イギリスとのアヘン戦争、フランスとの清仏戦争、日本との日清戦争にあいついで敗れ、領土を分割され、**溥儀**（▶285）が皇帝のときに滅亡した。

（くわしくは▶284～286）

トピック8

中華の復権！ 中華民国

（くわしくは▶285）

孫文（▶285）らによる革命で、中華民族による**中華民国**が誕生。第二次世界大戦後、共産党政権により現在の**中華人民共和国**となった。

トピック5

モンゴル民族が中国を支配！

チンギス・ハン

チンギス・ハンが中国北部を支配し、第5代**フビライ・ハン**が**元**として中国全土を支配。2度の元寇で日本を攻めるが敗北した。

（くわしくは▶279）

トピック6

貿易で繁栄した明！

第3代皇帝、**永楽帝**の時代、**鄭和**による南海遠征などで、アジア、アフリカの国と交易して繁栄した。

（くわしくは▶280～283）

名君を探せ!!

中国を広く治めていた**周**が力を失い、小さな国が対立していた春秋時代の終わりに、魯国の大臣になった**孔子**。争いをくり返す魯国を変えるために、周の時代を手本にして、**「徳」**が備わった名君が必要だと考えた。

「徳」とは、**「仁」**人を思いやる、**「義」**正しいことをする、**「礼」**あいさつをする、**「智」**勉強をする、**「信」**うそをつかない、の5つ。しかし、やる気のない役人たちと対立し、国から追放されてしまう。

そこで孔子は、周りの国で理想とするリーダーを探す旅を始めた。しかし、14年かけても、思うような人物には出会えなかった。

がっかりして魯国にもどった孔子は、学校を開き、人々に「徳」を教えることにした。すると、3000人もの弟子ができた。孔子の死後、弟子たちは孔子の言葉や行いを書物にまとめた。こうしてできたのが**『論語』**だ。のちに孔子の教えは**「儒教」**として広まる。儒教は漢の時代に「国教」となり、朝鮮、日本にも伝えられた。

中国を統一した世界初の皇帝

始皇帝

秦の皇帝

出身地：趙（現在の河北省）
生没年：前259～前210年
趣　味：巨大建築

オレ様は王の上の「皇帝」だ!!

始皇帝は、本名は趙、よび名を政という。13歳で**秦**の王になると、周りの大国を次々と攻め滅ぼし、前221年、歴史上初めて中国の統一を成しとげる。政はこれ以降、「皇帝」と名乗るようになった。

政は国土を36の郡に分けて支配し道路も整備。バラバラだった文字やお金などをひとつにそろえた。

一方、皇帝を批判する者は許さず、考えに合わない書物はすべて焼き払い、何百人もの反皇帝の儒学者を生き埋めにした（**焚書坑儒**）。また、大勢の国民を使って大宮殿や自分の墓（始皇帝廟）をつくらせ、北から攻めてくる遊牧民から国を守るため、**「万里の長城」**（▶259）を築いた。初めて中国を統一した政は、死後「始皇帝」とよばれるようになった。

兵馬俑坑

始皇帝廟の近くで見つかった陶器でつくられた兵士。その数、約8000体。始皇帝の、死後も皇帝として君臨したいという思いが感じられる。

あいつに取って代わってやる…

秦の支配も終わるころ、楚の国に貴族の子として生まれた**項羽**。若いころ、秦の**始皇帝**(▼261)の行列を目にし、いつかは自分が皇帝になると心に決めたという。

叔父の項梁に兵法を学び、叔父とともに秦をたおす兵を挙げた。同じように反乱軍を率いていた**劉邦**(▼263)と手を結ぶと、次々と秦軍をうち負かす。そして前206年に秦を滅ぼした。

「西楚の覇王」と名乗った項羽は、共に戦った劉邦を西へ追いやり、重要な役を自分の部下だけで独占した。その結果、劉邦とは、その後3年にわたり戦うことに。この争いに決着をつけたのが、前202年の**垓下の戦い**だ。劉邦の軍に取り囲まれた項羽は、周りから故郷・楚の歌が聞こえてきたことで、味方の楚軍が劉邦軍の手に落ちたと勘違いし絶望(※**四面楚歌**)。項羽は戦場に連れてきていた恋人・**虞美人**に歌をおくると、わずかな兵で劉邦軍の中へ切りこみ、最期は自分の首をはねて死んだ。

※ **四面楚歌**：敵に囲まれて、たすけを求められない状態を表す四字熟語になっている。

かったるい仕事、やってらんねえ…

農家に生まれた劉邦は、かなりのヤンチャものだった。秦の始皇帝（▼261）の墓をつくる囚人を見張る仕事についたが逃げ出す人が多く、「やってらんねえ」と全員を解放して、盗賊の親分になった。そして、秦をたおすために兵を挙げる。

項羽（▼262）と手を結んで戦うが、どちらが次の王になるかを争う関係でもあった。劉邦は、項羽より一足早く首都に入り秦王※を捕えたが、項羽は手がらを横取りされたと激怒し、秦王ら4000人を殺してしまう。ここから劉邦と項羽の決戦が始まる。

劉邦は項羽によって西に追い払われていたが、「国士無双※」とよばれた韓信など、優秀な部下を率いて反撃。項羽に勝利した劉邦は、漢を建国。皇帝の座につき、のちに「高祖」とよばれた。

ひみつのエピソード　劉邦は龍!?

中国の歴史書『史記』にも登場する劉邦。母の夢枕に龍神が立ち龍によく似た顔の劉邦が生まれたとか、劉邦のいる場所には雲がただようなど、龍にまつわる数々のイケメンエピソードがある。

※ 国士無双：国に並ぶものがいないほどの強者。　※ 秦王：当時、秦はおとろえ、皇帝と名乗れなかった。

漢を大帝国にした男

武帝

前漢の皇帝

出身地：漢（現在の中国）
生没年：前156〜前87年
性　格：短気

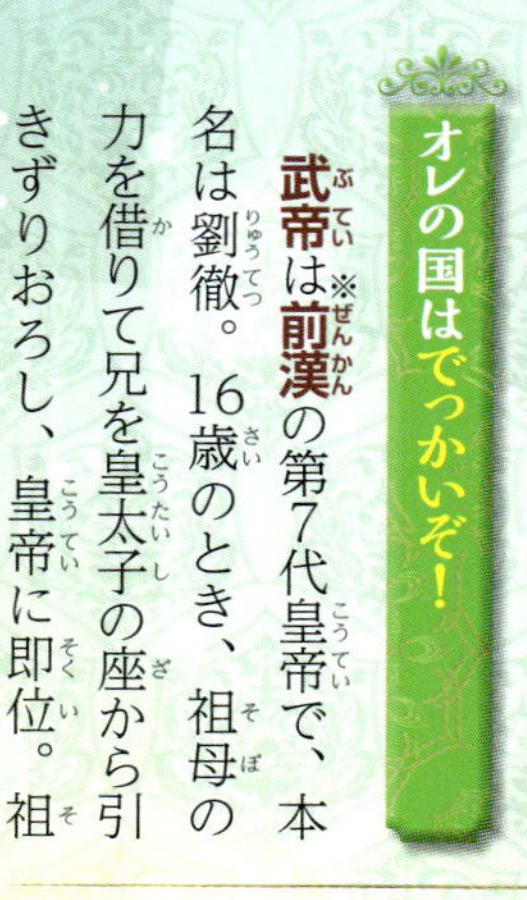

オレの国はでっかいぞ!

武帝は※**前漢**の第7代皇帝で、本名は劉徹。16歳のとき、祖母の力を借りて兄を皇太子の座から引きずりおろし、皇帝に即位。祖母が亡くなると、権力をふるう。**孔子**（▶260）の儒教がお気に入りで国の学問に決定。また、優秀な役人を集めるための法律をつくった。

国外では、たびたび北から攻めこんできた遊牧民の匈奴を追い払うと、南はベトナム、東は朝鮮を支配下に入れ、西はシルクロードの交易ルートを確保した。度重なる兵の派遣で出費は多かったが、その分お金を集め、漢の最盛期を築きあげた。

司馬遷（▶265）の『史記』によると、武帝が治める長安の倉にはお金があふれ、米は余って腐るほどあったという。同時代のローマ帝国と肩を並べる大帝国だった。

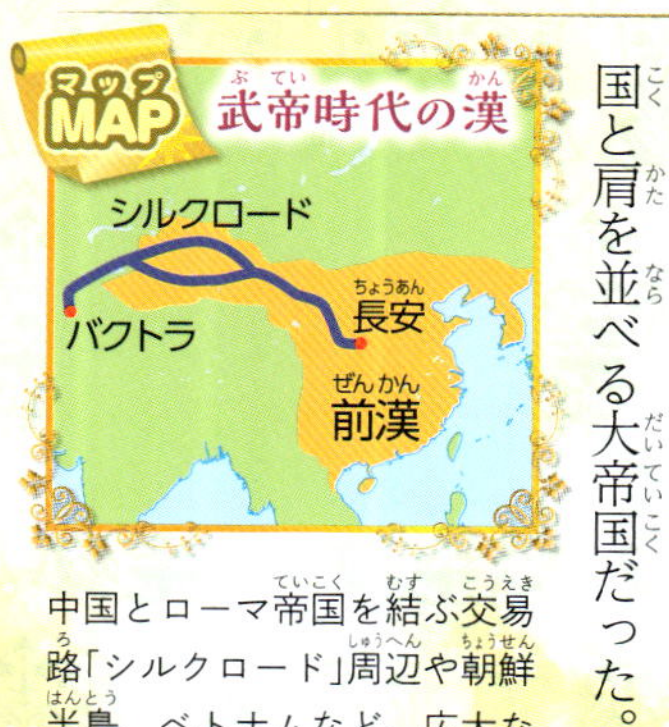

中国とローマ帝国を結ぶ交易路「シルクロード」周辺や朝鮮半島、ベトナムなど、広大な地域を支配下に置いた。

※前漢：「漢」は一時だけ、皇帝がやめさせられ「新」が建国された。そのため「前漢」「後漢」に分かれている。

すべては『史記』のために…

司馬遷

『史記』のためなら何だってやります!?

朝廷の記録係の父をもつ**司馬遷**。幼いころから古文を読み、20歳になると各地を旅し、歴史や生活などを調べてまわった。やがて父が「古代からの歴史を記録するのがお前の使命だ」と言い残して亡くなると、父のあとを継ぎ**武帝**(▶264)に仕えた。遺言にしたがい歴史書を書きはじめた司馬遷だったが、間もなく命の危機に直面する。

『史記』を書いた歴史家

出身地:竜門(現在の陝西省)
生没年:前145ころ~前87年ごろ
尊敬する人:孔子

軍人の李陵をかばい、武帝の逆鱗にふれたのだ。司馬遷は宮※刑という屈辱的な刑を受けるも、どうにか生きのびた。そして釈放後4年の歳月をかけ、歴史書『史記』130巻をつくり上げた。『史記』では伝説上の黄帝の時代から前漢の武帝までの歴史が、年ごとの歴史ではなく、皇帝を中心としてできごとをまとめた「紀伝体」の形で初めて書かれた。

ひみつのエピソード 李陵へのリスペクト

匈奴との戦いで捕えられた李陵将軍に「捕虜になるとは情けない」と言い放った武帝。それに対し司馬遷は「無事に帰って手柄を得る者より、最前線で戦って捕虜になる者の方が英雄ではないか」と意見した。

※宮刑:局部を切り落とす刑。

後漢がおとろえた3世紀ごろ、小説『三国志演義』などで描かれる、3つの大きな勢力による争いが起き、三国時代に突入した。

中国を三分した魏、蜀、呉

皇帝が力を失っていた後漢の終わりごろ、天下を取ろうとする**曹操**（▼267）、漢を復興させようとする**劉備**（▼268）、南部を支配しようとする**孫権**（▼272）の三大勢力による争いが起こった。

中国の北部を支配した曹操が**魏**の国をつくり220年に亡くなると、息子の**曹丕**が後漢を滅ぼして初代皇帝となり、その後、魏は265年までつづいた。

いっぽう、劉備は内陸部に勢力を広げ221年に**蜀**（蜀漢）を建国。しかし、劉備の死後、息子**劉禅**が皇帝だった263年に魏に滅ぼされた。

長江周辺から南の地域を治めた孫権は、222年に**呉**を建国。

魏、蜀、呉の三国は一時並び立ったが、280年、魏のあとに**司馬炎**が築いた**晋**が呉を滅ぼして天下統一。三国時代は終わりをむかえた。

MAP 三国時代の中国（220年前後）

魏
黄河
劉備
曹操
洛陽
長江
建業
成都
赤壁の戦い
蜀
呉
孫権

漢王朝に仕える一族に生まれた**曹操**。若いころはワルだった。しかし、文武両道の才能をもち、同時代の歴史家から「治世の能臣、乱世の姦雄（平和なときも、戦乱のときも、どんな世の中でも活躍できるヤツ）」と絶賛されるほどの、すぐれた政治家であり軍人だった。

天下統一まで、あとわずか…

曹操は184年に起こった農民の反乱・**黄巾の乱**の鎮圧で活躍すると、30万人もの黄巾軍を味方に引き入れて屯田※にあたらせた。これにより軍事力と食料を手に入れた曹操は勢いに乗り、華北（中国北部）を統一。後漢皇帝・**献帝**を保護することで、地位を高めた。

さらに、長江の南へと進軍した曹操は、208年、天下分け目の**「赤壁の戦い」**に挑む。しかし、**劉備**（▶268）と呉の**孫権**（▶272）の連合軍の前に敗れ、南下は阻まれた。

その後、献帝に認めさせ、**魏**の国の王まで上り詰める。しかし、病にたおれると、天下統一の夢を息子・**曹丕**にたくし、世を去った。

※屯田：兵士に農業を行わせること。

蜀の初代皇帝
出身地：涿（現在の河北省）
生没年：161～223年
性　格：情に厚い、人徳者
劉備

オレたちで天下を統一しよう！

劉備（字は玄徳）は、父を幼いころに亡くし、母とぞうりなどをつくって細々と暮らしていた。

23歳のころに**黄巾の乱**という農民の反乱が起こると、それをしずめる義勇兵に参加。『三国志演義』に書かれた逸話によると、そこで**関羽**（▶268右）と**張飛**（▶268左）に出会い、「われら名字や生まれた日はちがうけれど、兄弟として共に戦い同じ日に死のう！」と誓い合ったという（**「桃園の誓い」**）。

やがて劉備たちは、当時傾きつつあった漢王朝をたすけようと挙兵。しかし、劉備には領地がなく、各地の君主の元を渡り歩いていた。すでに46歳となった劉備。天才・**諸葛亮**（▶270）のうわさを聞いたのはそのときだった。

劉備は**「三顧の礼」**※をもって諸葛亮を軍にむかえ入れると、「諸葛亮がいると、わたしはまるで水を得た魚のようだ」と、関羽や張飛に話している。

諸葛亮の**「天下三分の計（▶270）」**という戦略にしたがい、呉の**孫権**（▶272）と手を結び、魏の**曹操**（▶267）を**赤壁の戦い**で撃破。そののち荊州や益州などの軍事拠点を押さえ、天下統一への基礎を固めた。221年、劉備は**蜀**の初代皇帝に即位。こうして魏蜀呉が争う三国時代に突入する。

オレには仲間がいる！

劉備には素晴らしい臣下がいた。強くて忠義に厚い関羽、気性はあらいが力自慢の張飛、そして天才軍師・諸葛亮。天下統一に手がとどくと思われた。

しかし、関羽が魏を攻撃中に呉の裏切りにより命を落とすと、劉備は周りの制止も聞かず、呉に対しかたき討ちの兵を挙げた。その矢先、今度は張飛が味方に暗殺され、悲しみが重なった。この**夷陵の戦い**で呉に大敗。病にたおれた劉備は諸葛亮にあとをたくして息を引き取った。

※三顧の礼：劉備は諸葛亮を味方につけるために、３度訪ね、協力を頼みこんだ。

天才軍師ここに現る!!

諸葛亮（字は孔明）は才能豊かな青年だったが、だれにも仕えず「臥龍」（かくれた大物）とよばれていた。そのうわさは、**劉備**（▼268）までとどき、軍師になってくれと誘われる。20歳以上も年上の劉備が、諸葛亮の元を3度も訪れ、頼みこんだという（**「三顧の礼」**）。

劉備の軍師となった諸葛亮は**「天下三分の計」**を提案。魏の**曹操**（▼267）と呉の**孫権**（▼272）、そして劉備の三強で天下を分けて治めつつ、軍事拠点を押さえ、機を見て天下を取るという戦略だ。そして、曹操軍が攻めてくると、諸葛亮は孫権の元を訪ね「手を結び曹操と戦いましょう」ともちかけた。

曹操軍をむかえ撃った**赤壁の戦い**では、曹操軍の船をつなげて火を放つ「連環の計」や、三日三晩祈って突風をふかせ、その火を燃え広がらせたなどの逸話がある。劉備・孫権連合軍は大勝し、のちに劉備を蜀の皇帝に押し上げた。

諸葛亮は劉備の死後もその息子・劉禅を支えて魏と戦いつづけるが、病にたおれ亡くなった。

関羽の敵討ちのため、劉備は呉に対し軍を起こすも大敗さらに病床に伏してしまう自分の命が短いと悟った劉備は諸葛亮をよび寄せる
陛下!
そなたに最後に申しておきたいことがある…
「三顧の礼」では、朕の臣下として仕えてくれ、そして、「天下三分の計」のおかげでここまでこれた…感謝している
何をおっしゃいますか
まだ漢再興の道半ばではありませんか
ガシッ
そなたには才能があるあとのことは頼んだ…
もしわが息子に皇帝の素質があれば補佐してやってほしい…もし才能がなければそなたに皇帝になってもらいたい
劉備死後、諸葛亮は丞相として劉備の子・劉禅を支えた劉禅は皇帝の器とはいえなかったが、諸葛亮は忠義をつくした
諸葛亮は魏討伐の軍を起こすにあたって劉禅に「出師の表」※を提出した
※出師の表：先帝・劉備への感謝、若い皇帝への忠愛にあふれ、読んで泣かざるものは不忠とされる名文である
漢
漢
漢
諸葛亮は5度にわたり魏討伐の軍を起こすが、志半ばでついに陣中で没したのだった

外交上手で三国時代を生き抜く

孫権

どちらにつくかで勝敗は決まる！

父は江南(長江の南)の**呉**で力をもつ武人。戦いのエリート家系に生まれた**孫権**は、父と兄の死後、18歳の若さで呉の支配者になった。**曹操**(▼267)や**劉備**(▼268)と比べ20歳以上も若いが、状況を読み決断する力にすぐれていた。

208年、魏の曹操が80万もの軍を率い、大船団で長江を越えて攻め込んできた。決戦が近づき、「降伏すべきでは…」とおじけづく家臣を前に、孫権は突然刀を抜くと目の前の机をたたき切って叫んだ。「これ以上弱気なことを言えば、この机と同じ運命にしてやる」。この言葉に家臣はふるい立った。そして、劉備と手を組むと、**赤壁の戦い**に挑み、見事に曹操軍を退けた。

その後、勢いに乗って領土を広げようとする劉備と関係が悪化、今度は敵だった曹操と手を組み、劉備を破った。

劉備の死後は、再び蜀と手を組み、魏に対抗。229年、孫権は正式に呉の皇帝となる。こうして三国の一角の呉を守り抜いたのだ。

逮捕覚悟でインドへ!

13歳で僧になった玄奘は唐国内で仏教を学んでいたが、仏教が生まれた天竺（インド）できわめたいと願うように。出国が禁止されるなか、27歳のころ、こっそりと旅立った。灼熱の砂漠や極寒の山を歩き、西をめざす玄奘。天竺に着くころには2年がすぎていた。天竺では各地の寺院をめぐり僧の話を聞いてまわると、王さまに仏教の教えを説くまでになった。

唐への帰国を決めた玄奘は、貴重な仏典や仏像を背負い、長い道のりを歩いた。帰国したら捕まると覚悟していたが、皇帝は16年ぶりにもどった玄奘を歓迎。玄奘は※仏典の翻訳に残りの人生を捧げ、1335巻の経典にまとめ上げた。

この玄奘の旅は『大唐西域記』にまとめられ、明の時代に書かれた『西遊記』のもとになっている。

MAP 天竺への旅

バーミアーン
長安
ブッダガヤ
唐
天竺（インド）

玄奘の旅は3万キロにもおよび、128もの国を通ったといわれている。

※仏典：仏教の教えが書かれたもの。天竺のサンスクリット語で書かれていた。

史上初の女帝は、最恐の女帝

則天武后

周の皇帝
出身地：并州（現在の山西省）
生没年：624ころ～705年
性　格：新しいもの好き

ライバルを退け、皇后から皇帝へ！

則天武后の本名は武照。評判の美しさで、14歳で唐の第2代皇帝の後宮※に入った。皇帝が亡くなると、その息子・高宗の皇后の座をめぐる女の争いが始まった。武照は高宗に近づくと、ライバルに殺人の罪をなすりつけるなどして蹴落とし、皇后の座につくのだった。

則天武后は、病弱な高宗に代わり政治を行うように。そして高宗が亡くなると、ふたりの子どもを皇帝にして、政治の実権をにぎった。反対する人は武力でだまらせ、また、手下の僧を使って「仏さまは武后が皇帝になることを望んでいる」といううわさを広めるのだった。そして690年、中国史上唯一の女帝が誕生する。即位後は国号を唐から周※とした。科挙という試験で優秀な役人を集める、仏教を広める、則天文字をつくるなどの功績もあったが、退位に追い込まれると、病死した。

則天武后は、権力を手にするために、親族など何十人もの邪魔者を殺害したといわれ、「中国三大悪女」のひとりに数えられている。

※**後宮**：皇后や妃が住む宮中の奥の宮殿。　※**周**：則天武后が在位した15年のみで、唐にもどった。

唐の最盛期の皇帝
出身地：洛陽
生没年：685〜762年
趣　味：音楽

「デキる皇帝」に近づく女の影…

玄宗の本名は李隆基。当時の**唐**は祖母の**則天武后**（▶274）らの悪政で混乱中。李隆基はクーデターを起こし、皇帝をやめさせられていた父に皇帝の位を取りもどした。

父のあとを継ぎ、712年に唐の第6代皇帝に即位すると、宮廷のぜいたくを禁じ、科挙という試験に合格したデキる人材を活用。学問や文化の発展に力を入れ、各国から留学生をむかえ入れた。日本からも**遣唐使**※と共に**阿倍仲麻呂**らが唐にやってきて、その文化や制度を勉強している。玄宗の政治は「開元の治」といわれ、唐で最も栄えた時代となった。しかし…。

詩人・**白居易**が『**長恨歌**』で嘆くように、晩年は超美人の**楊貴妃**（▶276）にほれこみ、国を乱れさせた。最期は楊貴妃を失い、国が傾く姿をなげきながら亡くなった。

ひみつのエピソード　玄宗と百人一首

日本からの留学生、阿倍仲麻呂は、玄宗の家臣として働いた。「天の原ふりさけみれば春日なる三笠の山に出でし月かも」という百人一首でも知られる詩でふるさとを思ったが、ついに日本へもどることなく亡くなった。

※ **遣唐使**：日本から唐へ、文化を学ぶために派遣された使節。

楊貴妃
皇帝を惑わせる絶世の美女
玄宗の皇妃
出身地：蜀（現在の四川省）
生没年：719〜756年
好きな食べ物：ライチ

あれ？　アンタの息子と結婚したのに…

楊貴妃の本名は楊玉環。頭がよく、歌や踊りの才能もあり、そのうえスタイル抜群で、まさに才色兼備。皇帝・**玄宗**(▼275)の18番目の子ども・寿王の妃となり宮中に入った。しかし、ちょうどそのころ愛する妻を亡くした玄宗に見初められると、皇后につぐ「貴妃」の位をあたえられ、玄宗の妃になる。何と玄宗は、息子のお嫁さんを横取りしたのだ。このとき楊貴妃は26歳、玄宗は60歳だった。

愛は目かくしをする…

約30年の歳月をかけて**唐**の繁栄を築き上げた玄宗だったが、若くて美しい楊貴妃を愛するあまり、政治に身が入らなくなってしまう。楊貴妃の「お願い聞いて」のひと言で、楊一族に国の高い役職があたえられ、楊貴妃の親戚の楊国忠が政治を動かすようになる。これは楊一族の思惑どおりで、楊貴妃は美しさを武器に、玄宗を思いのままにあやつっていたのだ。

大好物のライチを、馬を走らせ1000キロ以上も先から取り寄せさせたムチャブリな逸話もある。

国を滅ぼす美女

楊貴妃は「傾国の美女」とよばれることが多いが、これは国を滅ぼしてしまうほどの美しさという意味。だれもがこのままでは、本当に国が危ないと思い始めた。

755年、楊国忠のライバルで節度使(軍の司令官)をしていた安禄山らが、楊一族を排除するために兵を挙げ、長安にせまった。楊国忠は殺され、楊貴妃は玄宗とともに長安から西へ西へとのがれたが、護衛の兵たちの反乱にあい、玄宗は泣く泣く愛する楊貴妃を殺させた。

玄宗と楊貴妃の悲しい恋の物語は、**白居易**の『**長恨歌**』にうたわれた。その詩は日本にも伝わり、紫式部の『源氏物語』などでも取り上げられている。

コラム

唐の国際交流

618年に李淵が隋を滅ぼし建国された唐は、中国から中央アジアまでを支配する大帝国で、国際交流がさかんだった。

世界的な国際都市・長安

唐は、※シルクロードを通じて絹織物やさまざまな工芸品をイスラームの国やビザンツ帝国(東ローマ帝国)に輸出した。これらの国からは、多くの使節や商人がやってきて、首都の**長安**は世界的な国際都市として繁栄。ワインが流行り、キリスト教の寺院もあった。

唐の時代、日本からも朝廷の使節の**遣唐使**が、十数回派遣された。702年の遣唐使では、「日本」という国名が初めて使われた。当時の船旅はとても危険だったが、遣唐使により、政治、学問、仏教からファッションまで、唐のすぐれた文化が日本にもたらされた。

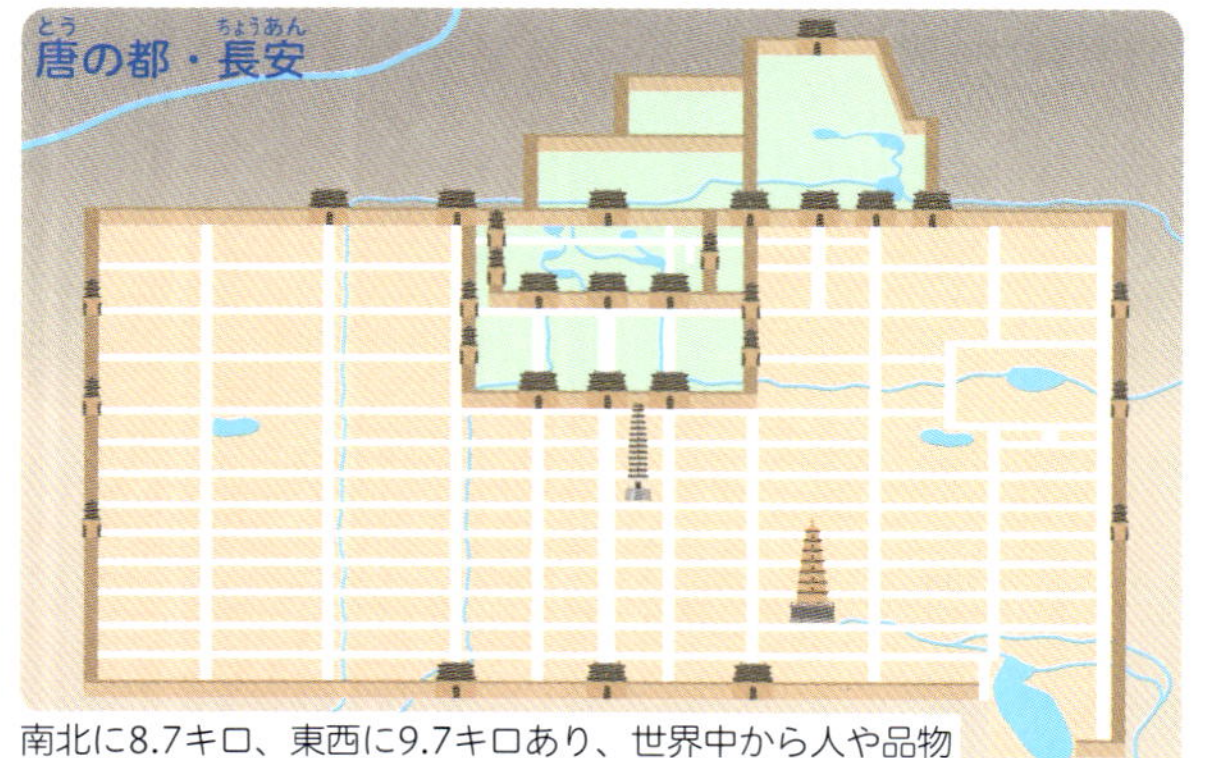

南北に8.7キロ、東西に9.7キロあり、世界中から人や品物が集まった。日本の平安京も、長安をモデルにつくられた。

西域から伝わった、大きく開いた胸元、長いスカート、長いショールが特徴の「胡服」が流行した。

長安を訪れる外国の使節

唐の時代に描かれた絵。唐を大国としてうやまい、外国の使節があいさつに訪れる様子を表している。
(国立故宮博物院所蔵)

※シルクロード：中国とイスラーム国家やローマなどを結ぶ、中央アジアの東西交易路。

草原をかける蒼き狼

チンギス・ハン

モンゴル帝国の初代皇帝

出身地：モンゴル
生没年：1162ころ〜1227年
特　技：戦い

ユーラシア大陸を治めた絶対王者

モンゴルの遊牧民**チンギス・ハン**。本名はテムジン。幼いころ部族長の父が毒殺され、貧しい生活を送るが、「モンゴル高原を統一してやる」と夢見るように。そして、父を殺した部族などを破り遊牧民を統一。1206年、河原でクリルタイ（大集会）を開き、君主に認められ「ハン（汗）※」を名乗ると、ここに**モンゴル帝国**が誕生した。

チンギス・ハンは、最強の騎馬軍団をつくりあげると、中国北部やトルコ、さらにはヨーロッパや南ロシアにも進出。獲得したユーラシア大陸の広大な領土を4人の子どもに分けあたえ、世を去った。

その後第5代皇帝**フビライ・ハン**のときに最盛期となり、宋を滅ぼし中国を完全に支配。国号を**元**として、**元寇**（▶259）で日本にも攻め込むのであった。

ひみつのエピソード　チンギス・ハンは源義経？

日本の平安時代末期に壇ノ浦の戦いで平家を破るなど活躍した武将・源義経。兄の頼朝と対立し、最期は平泉で自殺したといわれているが、北海道から海をわたりチンギス・ハンになったという説が流されたことがある。

※ハン（汗）：遊牧民族の首長、君主の称号。

オレ様にみつぐのじゃ！

永楽帝は**明**の初代皇帝・**洪武帝**の4番目の子で本名は朱棣。勇猛で、甥でもある第2代皇帝・建文帝と争った末、宮殿を焼き払い、第3代皇帝の座についた。

永楽帝は自らモンゴルへ遠征し、シベリア、チベットへも進出。東南アジア・インドへは**鄭和**（▶281）の大船団を遠征させて、帝国の力を見せつけた。そして、周りの国々には「みつぎものをもってあいさつに来い！」と命じ、みついだ国にだけ貿易の許しをあたえる**朝貢貿易**を行った。日本の室町幕府の将軍・**足利義満**も貿易の許可をもとめる使者を送っている。

明は栄え、永楽帝は学問や文化の発展にも力を入れた。そして、『永楽大典』という百科事典をつくらせるのだが、その数、何と全巻で2万2877巻にもなった。

紫禁城

首都を現在と同じ北京に移した永楽帝。その中心となっている紫禁城を築いたのも、この永楽帝だ。

鄭和

コロンブスもびっくりの大航海士

明の武将
出身地：昆陽(現在の雲南省)
生没年：1371ころ〜1434年ごろ
宗　教：イスラーム教

遠征に行けって、どんだけ〜！

明の時代の1405年ごろ、大型船「宝船(▶282)」60隻に2万人をこえる兵士を乗せ、蘇州からベトナム、タイ、ジャワへむけて出発する大船団があった。この大船団を率いたのが**鄭和**だった。

鄭和は**永楽帝**(▶280)からもらった名前で本名は馬三保という。イスラーム教徒の家に生まれ、永楽帝に仕える宦官※になるが、武人としての才能を見込まれ、遠征の司令官を命じられたのだ。

鄭和は羅針盤(▶259)を使い、星の観察をして、正確な航路をわり出した。当時としては、世界一の航海術をもつ一流の航海士だった。

この「鄭和の西洋くだり」とよばれた遠征のビジュアル効果は絶大で、周りの国は「こんな強そうな国には勝てっこない」と、戦うのをあきらめ貿易を選んだため、朝貢貿易が盛んになった。

鄭和の南海方面への遠征は、28年間に7回、30か国にものぼった。これは**コロンブス**(▶86)たちが活躍するヨーロッパの大航海時代よりも70年も前のことだった。

※宦官：去勢して宮中に仕える役人。

コラム

明の南海遠征と交易

明の永楽帝は、海路を使って海外と交易するため、鄭和に命じて大船団による遠征を行わせた。

海の交易ルートを開拓せよ!

明の時代、かつての交易ルートだった陸のシルクロードは、モンゴルの勢力下にあった。そこで、明の皇帝の**永楽帝**（▼280）は大船団による海洋ルートを使った交易を行わせた。

大船団を率いた**鄭和**（▼281）は、7回におよぶインドやアラビア半島、アフリカなどへの遠征で、海外に絹織物や陶磁器などを伝え、海外からはコショウや染料のほか、キリンなどの珍しい動物を持ち帰った。

明からイスラームの国へと伝わったものは、その後、ヨーロッパへと伝えられていった。

遠征に使われた「宝船」

当時の船としては最大の木造船。全長は約60メートルとも、120メートル以上ともいわれている。

海外からもたらされたもの

ライオン

シマウマ

キリン

海外にもたらしたもの

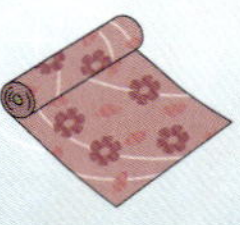

絹織物

陶磁器

台湾を取りもどした日中ハーフの英雄

鄭成功

明の武将
出身地：肥前国平戸（長崎県）
生没年：1624～1662年
特　技：海戦

日本で生まれ、台湾で英雄に！

日本の平戸で、明の貿易商の父と日本人の母の間に生まれた福松（のちの鄭成功）。7歳のとき、明にいた父のまねきで海を渡った。

このとき明は、異民族（清）に滅ぼされようとしていた。21歳のころ、父と共に「明朝を再興するぞ！」と兵を挙げるが、父は降伏、中国に来ていた母は自殺。鄭成功は大船団を率いて抵抗をつづけるが、押し込まれ、台湾まで退いた。

このとき台湾はオランダに植民地として支配されていた。そのため、今度はオランダ軍と戦うことに。鄭成功はオランダ軍を城に囲い込み勝利。結果的に台湾を中国の手に取りもどしたのだった。

鄭成功は台湾の地で病死。その功績から「アジアの英雄」とよばれ、今でもたたえられている。

ひみつのエピソード
あだ名は「国姓爺」

清との戦いの際、鄭成功は明王から皇帝の姓「朱」を使うことを許された。そのため、「国姓爺（国から姓をもらっただんな）」とよばれるように。江戸時代の浄瑠璃作家・近松門左衛門は、鄭成功をモデルに『国姓爺合戦』を書き大ヒット。今でも歌舞伎の演目になっている。

疑惑と失敗だらけの悪女の政治

清の末期に、18歳で皇帝の妃となった**西太后**。皇帝の死後、息子と甥をつづけて皇帝に即位させ、政治を仕切るように。その後、共に政治を行っていた東太后が死亡すると、権力を独占したため、「西太后が暗殺したのではないか…」とうわさが流れた。

当時、清はイギリスやフランスとの戦争に敗れ、領土をじわじわとうばわれていた。西太后は西洋技術を取り入れて軍を強くしようとするが、つづく日本との**日清戦争**にも敗北。今度は、「戦艦の建造費を西太后が使い込んだせいでは…」とうわさされた。

やがて皇帝である甥は、「国をよくするためには西太后が邪魔だ」と感じ、捕えようと企てるが、西太后はこの動きに気付くと、逆に皇帝を牢屋へブチ込んだ。

1900年、民衆による西洋支配に対する反乱「**義和団事件**」が起こると、西太后は便乗し、国内にいすわる欧米連合軍を追い出そうとしたが、これに失敗。最期は逃亡先で亡くなるのだった。

愛新覚羅溥儀

清の「ラストエンペラー（最後の皇帝）」

わずか2歳で**清**の第12代皇帝に即位した**溥儀**。1911年に起きた**辛亥革命**※で、翌年に退位。276年間つづいた清は滅亡し、最後の皇帝となる。紫禁城で捕らわれの生活を送ったのち、日本が建国した**満州国**の初代皇帝としてまつりあげられた。しかし皇帝としての権力はまったくなかった。**第二次世界大戦**で日本が敗れると、ソ連から中国に引きわたされ、一市民として北京で亡くなった。

※**辛亥革命**：清をたおし、中華民国樹立へとつながった革命。

出身地：**北京**
生没年：**1906〜1967年**

孫文

中国の「革命の父」

キリスト教徒の農家に生まれ、ハワイ留学で西洋文化にふれた**孫文**。日清戦争に負けた弱い**清**をたおすため反乱を起こすも、失敗と逃亡をくり返した。逃亡先の東京で中国同盟会を立ち上げると、やがて**辛亥革命**が起き、帰国。孫文は南京で**中華民国**建国を宣言し、臨時大総統※になった。その後、中国統一をめざすもはたせず、「革命いまだならず」という言葉を残し、病死した。

※**大総統**：中華民国の国家元首。大統領。

出身地：**広東省**
生没年：**1866〜1925年**

清のファッション

1644年に明を滅ぼし中国全土を支配した満州族の清によって、中国のファッションは大きく変わった。

満州族のスタイルを強制

漢民族にとって、異民族の国家である清は、中国に以前から住んでいた漢民族に対して、伝統的な漢風の服を着ることを禁止し、自分たち満州族（女真族）のスタイルを強制した。

女性には、満州族の伝統的な服をもとにした「旗袍」という服を着させた。また、男性には後頭部を残して髪の毛をそり、残った髪を三つ編みにする「辮髪」というヘアスタイルにさせた。

また、中国で伝統的に行われてきた、女性の足を小さくする「纏足」を禁止した。しかし、纏足の禁止は人々が受け入れず、失敗に終わった。

女性の服装

大拉翅
高さ30センチほどのおうぎ状の髪飾り

旗袍
高い襟で、スリットの入ったワンピース型の服。チャイナドレスの原型

花盆底鞋
底が高いくつ。10センチ以上の高さがあり、さまざまな模様の刺しゅうがされている

男性の髪型

辮髪

纏足
中国の伝統的な風習。幼いころから足を曲げた状態でしばり、足を小さくした。中国では「纏足をしていないと嫁にいけない」といわれるほどの風習だったが、清によってたびたび禁止令が出され、清の滅亡後にすたれた。

10章 イスラーム世界

主なできごと

時代	年	できごと
7〜10世紀	610年ごろ	**ムハンマド**(▶290)、神の啓示を受け**預言者**となり、イスラーム教成立
	630年	ムハンマド、メッカを占領 その後アラビア半島を統一
	638年	イスラーム勢力が**イェルサレム**を征服
	661年	**ウマイヤ朝**成立。その後、北アフリカ、イベリア半島、中央アジアまで支配を広げる
	750年	ウマイヤ朝が滅亡し、**アッバース朝**がおこる
	786年	アッバース朝の**カリフ**に、**ハールーン・アッラシード**(▶294)が即位
11〜13世紀	1187年	**アイユーブ朝**の**サラディン**(▶292)、イェルサレムを奪還
	1189年	サラディン、**第3回十字軍**と戦う
	1250年	**シャジャル・アッドゥッル**(▶295)が**マムルーク朝**を建国
14〜16世紀	1325年	**イブン・バットゥータ**(▶297)がメッカへ向けて旅立つ
	1453年	**メフメト2世**(▶298)率いる**オスマン帝国**により、**ビザンツ帝国**滅亡
	1529年	オスマン帝国の**スレイマン1世**(▶299)、**第1次ウィーン包囲**を行う
	1538年	スレイマン1世率いるオスマン帝国、**プレヴェザの海戦**に勝利
	1571年	**レパントの海戦**でオスマン帝国敗戦
17〜21世紀	1853年	**クリミア戦争**で、オスマン帝国とロシアが開戦
	1918年	**第一次世界大戦**でオスマン帝国敗戦
	1922年	オスマン帝国滅亡
	1923年	**トルコ共和国**誕生。**ケマル・パシャ**(▶302)が初代大統領となる
	1945年〜	**第二次世界大戦**後、**アラブ連盟**の結成によりアラブ諸国の和平がめざされるが、断続的に国や民族などの対立による戦争が起きている

どんな歴史だったの?

イスラーム世界

イスラーム世界とは?

610年ごろ、大天使から**神アッラー**の言葉を受け、**預言者**※となった**ムハンマド**(▶290)により、メッカを中心としてアラビア半島に広まった**イスラーム教**。ムハンマドの死後、アラビア半島周辺や北アフリカなどでは、イスラーム世界ができあがった。

イスラーム教のきまり

聖典「コーラン」の教えにより、生活の中で信じるべきこと、守るべきことにきまりがある。

<きまりの例>

礼拝 1日5回、決まった時間にメッカへ向けて礼拝をする。

断食 断食月(ラマダーン月)は日の出から日没まで飲食をつつしむ。

禁止事項 酒、豚肉、かけごと

7〜10世紀 イスラーム国家の誕生

ムハンマドがアラビア半島を統一したのち、ムハンマドの後継者を意味する**「カリフ」**が政治のリーダーとなる。661年に広大な領土をもつ**ウマイヤ朝**が誕生し、イベリア半島まで支配を広げた。そのウマイヤ朝を750年に滅ぼした**アッバース朝**は、**ハールン・アッラシード**(▶294)のときに黄金期をむかえ、首都バグダードを中心にさかえた。

MAP 7〜8世紀ごろのイスラーム世界

11〜13世紀 イスラーム国家とキリスト教国の対立

カリフに認められたイスラームの指導者**「スルタン」**が治める、**セルジューク朝**や**アイユーブ朝**が繁栄。キリスト教の聖地でもある**イェルサレム**を占領したため、キリスト教と対立し、**十字軍**と戦うことになった。1189年からの**第3回十字軍**では、**サラディン**(▶292)がイングランド国王**リチャード1世**(▶58)と戦い、イェルサレムを守り抜いた。

MAP イスラーム国家と第3回十字軍（1189年ごろ）

※ 預言者:神によって選ばれた、神の言葉を受け、それを人々へ伝える使命をもつ者。

14〜16世紀 オスマン帝国の繁栄

1299年、現在のトルコで建国された**オスマン帝国**は、**メフメト2世**(▶298)が1453年に**ビザンツ帝国**を滅ぼすなど、徐々に支配地域を広げた。

スレイマン1世(▶299)のころには、**第1次ウィーン包囲**で神聖ローマ帝国を追い込み、1538年の**プレヴェザの海戦**でスペイン・ヴェネツィア連合軍を破って地中海の制海権をにぎるなど、勢力範囲を広げた。

スレイマン1世が亡くなったあとの1571年の**レパントの海戦**ではスペイン・ヴェネツィア連合艦隊に敗れるも、その力はおとろえなかった。

一方そのころ、現在のイランがある地域では、**サファヴィー朝**という大国ができ、**アッバース1世**(▶301)が支配した時代に全盛期をむかえた。

MAP オスマン帝国の拡大（14〜16世紀）

17世紀〜現在 オスマン帝国の崩壊と近代国家の独立

17世紀後半以降、オスマン帝国はオーストリアやロシアとの戦いに敗れ、領土を失っていった。その後も、エジプトが事実上の独立、さらにギリシアが独立すると、第一次世界大戦後の1922年、オスマン帝国は滅亡。翌年**ケマル・パシャ**(▶302)によって**トルコ共和国**が誕生するなど、以降、近代化した国家が次々と独立していった。

MAP オスマン帝国の解体（17世紀末〜1923年）

ムハンマド
イスラーム教の開祖
出身地：メッカ
生没年：570ころ〜632年
性　格：誠実

神の啓示を受ける

アラビア半島の中西部メッカの大商人の家に生まれた**ムハンマド**は、両親を早くに亡くし、商人の叔父に育てられた。叔父のキャラバン（隊商）に加わってシリアなどをまわり、25歳ごろ15歳年上の女商人・ハディージャと結婚した。

40歳になると、洞窟にこもって考えこむようになったムハンマド。ある日、瞑想のなかで「人間を創造した神**アッラー**をあがめよ」と、大天使ジブリール（ガブリエル）の言葉を聞く。はじめは恐れを感じたが「あなたは神の啓示を受けた**預言者**だ」と、妻たちにはげまされると、「アッラーこそ唯一の神。アッラーの意志にしたがってよい生活を積み重ねよう」と教えを人々に伝えることに。この教え「イスラーム」は身近な人から若者を中心に広がっていった。

迫害に負けず神の教えを伝えるぞ！

いろいろな神を信じる人たちの中で「神はアッラーだけ」とうったえたムハンマドは、迫害を受けた。622年、ムハンマドは信者と共に、メッカから北のヤスリブへのがれると、その地を「メディナ」と改め布教をつづけた。「イスラームの下では、部族に関係なくみんな仲間」と話し信者を増やすと、メッカへもどることを決めた。

630年、信者たち約1万人を率いてメッカへむかったムハンマドは、戦うことなく無血で**カーバ神殿**を占領し、イスラーム教の聖地とした。ムハンマドはやがて亡くなるが、アッラーの言葉は**「コーラン」**にまとめられ、イスラーム教の聖典となった。そしてイスラーム教によりアラビア半島はひとつにまとまるのだった。

ひみつのエピソード

顔はだれも知らない!?

イスラーム教には、目に見える何か（偶像）を拝んではいけないという「偶像崇拝禁止」の決まりがある。だから預言者ムハンマドや神アッラーが描かれた絵や像はなく、その顔はだれも知らない。

サラディン

エジプトの軍人

出身地：現在のイラク
生没年：1138ころ～1193年
性　格：寛容

イスラームの支配者へ！

サラディンは、イラン系山岳民族のクルド人で、本名をサラーフ・アッディーンという。軍人の父らと共に北イラクとシリアに力をもつザンギー朝に仕える。1169年にエジプトのファーティマ朝をたおし、その地で自らイスラーム教のアイユーブ朝をおこし王位につくと**「スルタン」**（イスラーム最高権力者）とよばれるようになった。これによりイスラーム世界はひとつにまとまる。

聖地奪還！

イスラーム教の聖地**イェルサレム**は、ユダヤ教、キリスト教とも共通の聖地で、当時はヨーロッパからやってきたキリスト教徒の**十字軍**（▶56）が、イェルサレム王国を建てて支配していた。イスラーム世界を守るための聖戦「ジハード」を心に決めたサラディンは、1187年にイェルサレム王国の軍隊を破り、イェルサレムを占領。およそ90年ぶりに、イスラーム教徒の手に聖地をうばい返した。このときサラディンは、人をむやみに殺したり、建造物をこわしたりすることを禁じたという。

紳士VS紳士の名勝負！

1189年の**第3回十字軍**では、「ザ・ライオンハート」ことイングランド国王・**リチャード1世**（▶58）と激闘をくり広げた。その力は五分と五分。たがいにゆずらず、1192年、両者は休戦協定を結ぶ。サラディンはイェルサレムを守り抜いたのだ。このときもサラディンは、キリスト教徒にも聖地・イェルサレムへの巡礼を認め、ほかの宗教をしめ出すようなことをしなかった。敵将リチャード1世もサラディンの紳士的なふるまいを称賛している。

翌年、サラディンは病気で亡くなったが、その勇気や正義は、イスラーム世界のみならず、ヨーロッパでもたたえられた。

バグダードの繁栄を築いた王

ハールーン・アッラシード

アッバース朝のカリフ

出身地：現在のイラン
生没年：763ころ〜809年
性　格：おくり物好き

アラビアン・ナイトの王

サラディン（▼292）が活躍する400年以上前に、中東から北アフリカなど広大な地域を支配していたアッバース朝。その第5代カリフ※が**ハールーン・アッラシード**だ。フランク王国の**カール大帝**（▼46）やインド王におくり物や使節を送って交流し、首都バグダードの全盛時代を築いた。

当時のバグダードは人口100万人にもなる世界最大の都市で、イスラーム教徒の商人によって、世界中から金などの品々が集められ、バザール（市）で売られていた。中国の唐から伝わった紙をつくる技術が、イスラーム世界に広がったのもこの時代。

ハールーンは、有名なアラブの逸話集**『千夜一夜物語（アラビアン・ナイト）』**の中で「その名が北欧から中国にまで知られている王」として実名で登場している。豪華絢爛できらびやかな宮殿で優雅に暮らしていたという。しかし、広大な王朝では反乱があいつぎ、イスラーム世界は分裂、たくさんの王朝に分かれた。

※カリフ：イスラーム教社会の指導者。

ただひとりの女性スルタン

シャジャル・アッドゥッル

マムルーク朝のスルタン
出身地：不明
生没年：生年不明～1257年
性　格：しっかり者

女だって、トップに立てるわ！

シャジャル・アッドゥッルは、元々はトルコ系の奴隷だったといわれている。しかし、エジプトのアイユーブ朝の宮殿に入り、王（スルタン）サーリフの子を産んだことによって奴隷の身分から解放された。サーリフはシャジャルを愛し、とても信頼していたという。

1249年、フランス王ルイ9世率いる第6回十字軍がエジプトへ攻め入り、サーリフは命を落とす。シャジャルは、サーリフの死をかくして十字軍と戦いつづけ、勝利に導いた。後継のスルタンとは対立するが、味方のマムルーク（奴隷兵）軍がスルタンを暗殺したことで、シャジャルが女性初のスルタンの座についた。

しかし、女性スルタンはイスラーム世界には受け入れられず、バグダードのカリフからは「エジプトに男がいないなら、バグダードから送ってやる」とバカにされる始末。シャジャルはわずか80日で退位し新しい夫にスルタンの座をわたすが、後にこの夫を殺害した罪で処刑されるのだった。

イスラーム社会の女性ファッション

イスラーム社会では、イスラーム教の戒律にしたがって、女性のファッションにきまりがある。

肌を見せてはいけないイスラーム女性

イスラーム教の聖典では、女性は家族以外の男性に、顔と手以外の肌を見せてはいけないというきまりがある。そのため、外出するときに顔と手以外の部分をかくす服を着ている。

その服装は国や地域によって決められていて、かくす部分の多さや形によってさまざまな種類がある。一般的には地味な色や模様のものが多い。

最近では、マレーシア、シンガポール、インドネシアなど一部の国や地域で、明るい色のヒジャブを身に着けたり、ヒジャブを使ってアニメのコスプレをしたりする女性も出てきている。

人々の服装

ヒジャブ

スカーフのような布で頭をかくす。最も一般的で、さまざまな色や柄のものがある。

チャドル

顔だけを出し、髪や体をかくす服。主にイランで着られている。

ニカーブ

目だけを見せる布。色は黒いものがほとんど。

ブルカ

目の部分がメッシュ状になっている。全身をおおう。

地球3周分旅しました

イブン・バットゥータ

イスラームの旅行家

出身地：モロッコ
生没年：1304〜1368年ごろ
性　格：好奇心旺盛

地平線の先には何がある?

日本の鎌倉時代にあたる1325年、21歳の熱心なイスラーム教徒の**イブン・バットゥータ**が、モロッコから聖地・メッカへむけて旅立った。探究心につき動かされたイブンは、それから30年、旅をつづけることになる。

まず、メッカを中心に7年かけて中近東やアフリカの東海岸などをまわり、インドに入った。インドの権力者から「家来になれ」と言われて8年働き、その後、**元**(中国)へ派遣され東へむかった。途中、一行は異教徒による襲撃や嵐にあってほぼ全滅。どうにか生き残ったイブンは、4年かけて元の都・大都にたどり着いた。

故郷へもどったときには45歳。わが子はすでに亡くなっていたが、イブンはその後もサハラ砂漠やスペインを旅している。モロッコ王から旅の記録を残すように言われ、記憶をたよりに秘書にまとめさせたのが『都市のふしぎと旅の驚異を見る者への贈り物』。長すぎるため、別名を『**三大陸周遊記**』という。当時を知る貴重な資料だ。

イスラーム世界の「征服王」

メフメト2世

オスマン帝国のスルタン

出身地：エディルネ（現・トルコ）
生没年：1432〜1481年
愛読書：アレクサンドロス大王の伝記

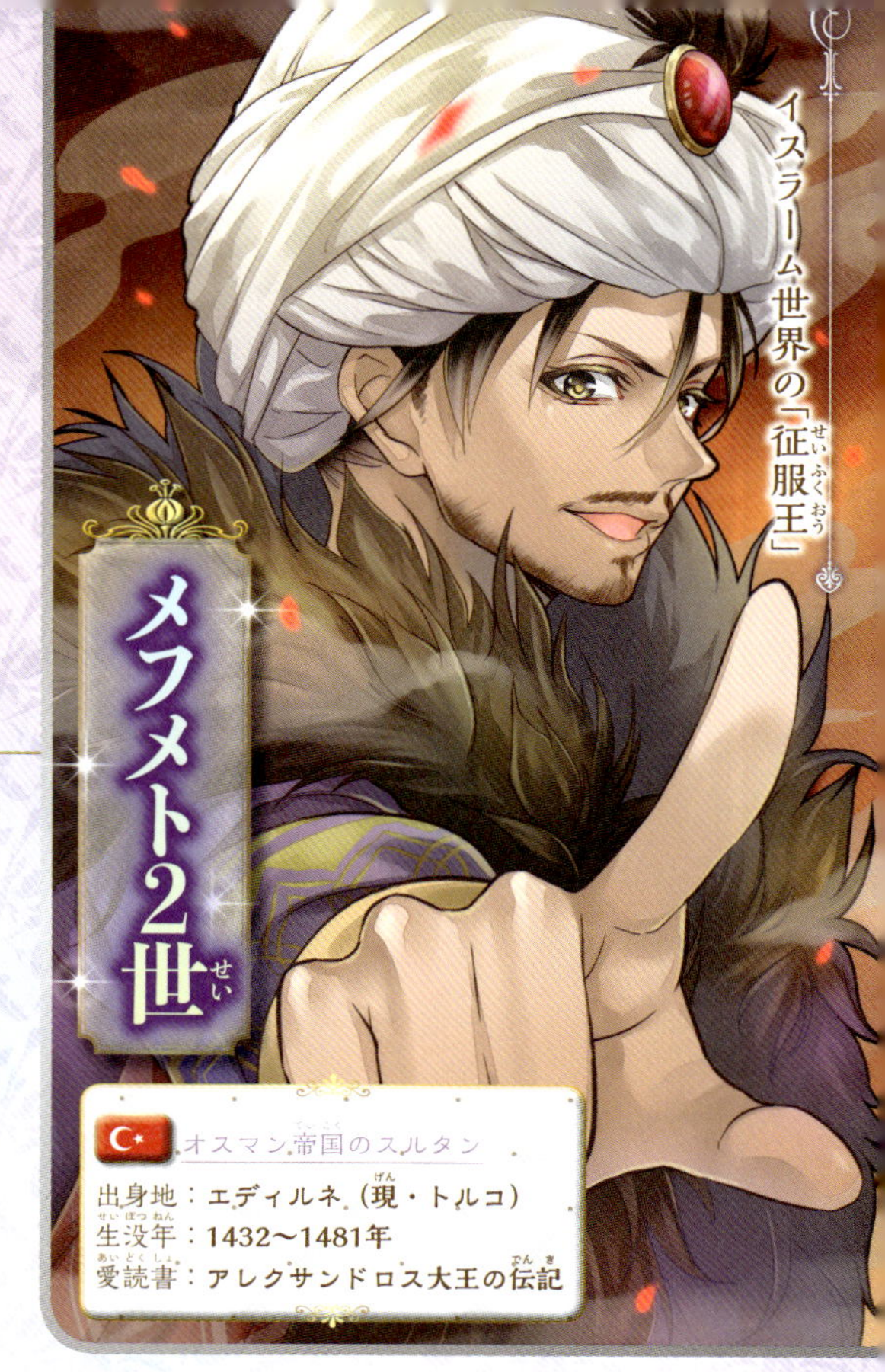

ぜひ手に入れたい！

ライバルになりそうな幼い弟を殺し、オスマン帝国の第7代スルタンになった**メフメト2世**には野望があった。それは、ビザンツ帝国の首都**コンスタンティノープル**を手に入れること。ここは、アジアとヨーロッパを結ぶ、陸と海の交易の中継点。この地を支配できれば貿易によって国の力を大きくできる。そして、世界を支配することも夢ではなくなるのだ。

1453年、メフメト2世は、15万の大軍と新兵器の大砲をもってビザンツ帝国を滅ぼすと、コンスタンティノープルを**「イスタンブル」**と改名し、オスマン帝国の首都とした。これにより野望をはたすと、自らにふさわしいトプカプ宮殿を建造した。その後も征服をすすめたメフメト2世は「ファーティヒ（征服王）」とよばれた。

トプカプ宮殿

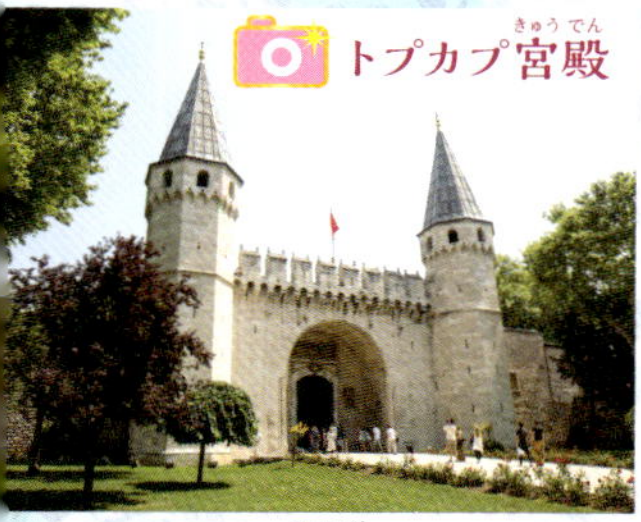

オスマン帝国の歴代のスルタンが住まうことになる大宮殿。現在は世界遺産になっている。

オスマン最盛期のハーレムの帝王

スレイマン1世

オスマン帝国のスルタン
出身地：トラブゾン（現・トルコ）
生没年：1494ころ〜1566年
性格：すぐれて賢い

エンセイでハンエイ！北へ南へ、広がる領土！

スレイマン1世は26歳でオスマン帝国の第10代スルタンに即位すると、ひいおじいさんの征服王**メフメト2世**(▼298)にならい、ヨーロッパやアフリカへ遠征をした。

なかでもオーストリアのウィーンを12万人の兵で取り囲み、神聖ローマ帝国のハプスブルク家を滅亡の手前まで追い込んだ**第1次ウィーン包囲**と、ローマ教皇とヴェネチア・スペイン連合艦隊を破った**プレヴェザの海戦**は、ヨーロッパの国々に衝撃をあたえた。

オスマン帝国は、およそ20の民族・6000万人を支配。スレイマン1世は宮廷のハーレム※で女性に囲まれ、贅沢な暮らしを送った。一方で、「カーヌーニー（立法者）」とよばれるほどすぐれた政治を行い、以降400年にわたって栄えるオスマン帝国の基礎を築いた。

ひみつのエピソード 世界初のカフェを開店!?

トルコ人はコーヒーが大好き。1554年、イスタンブルに世界初のコーヒーハウス「カフヴェ」が開店した。のちの17世紀にヨーロッパへ伝わり「カフェ」となった。

※ハーレム：王室などにある、大勢の女性を住まわせる部屋。王など以外は出入り禁止だった。

ロシアから来た魔女

ロクセラーナ

スレイマン1世の皇妃

出身地：現・ウクライナ
生没年：1502ころ～1558年
性　格：野心家

女奴隷は魔女だった!?

西洋では**ロクセラーナ**とよばれるが、名はヒュッレムという。ウクライナの辺りで盗賊団に捕らえられ、奴隷としてオスマン帝国に売られてしまう。しかし、美しい彼女は賢く、すぐにトルコ語を覚えると、**スレイマン1世**(▼299)のハーレムにあがった。

またたく間にスレイマン1世の第2夫人となったロクセラーナ。第1夫人を追い出すと、スルタンと妃は正式な結婚はできない決まりだったが、スレイマン1世をそそのかして夫婦となり、皇妃の座を独占した。そして、自分の子を次のスルタンにすべく、手段を選ばず邪魔者を消していった。

スルタンをあやつり豪華なトプカプ宮殿に住む彼女は、「ロシア女め」との軽べつをこめて「ロクセラーナ」とよばれたのだ。

ひみつのエピソード　ふたりは仲よし！

ロクセラーナとスレイマン1世は夫婦仲がよかった。ふたりのお墓は、スレイマン1世がつくらせた「スレイマン・モスク」のそばに、隣同士で並んでいる。

オレの町は「世界の半分」だ！

モンゴル系のティムール帝国をたおしイラン高原にイスラームを取りもどしたサファヴィー朝。その第5代の王が**アッバース1世**だ。

スレイマン1世（▼299）のオスマン帝国に攻められ国の危機をまねいた父に代わり、17歳で王に即位。西洋式の新しい砲兵部隊を整備し、すぐに領土をうばい返した。

また首都をイスファハーンに定め、ティムール帝国との戦いでこわされた都市を立て直した。2階建ての回廊に囲まれた「王の広場」を中心に、南側には青いタイルの「イマームのモスク」が建ち、北側にバザールが広がる首都は、アッバース1世自らのデザインだ。

首都・イスファハーンは、人口70万にふくれあがり、手工業と貿易で栄える。富を集めたこの都市は「世界の半分」と称賛された。

王の広場

イスファハーンの中心につくられた広場。奥にある青い建物が「イマームのモスク」。

女性にやさしいトルコ建国の父

ケマル・パシャ

トルコ共和国の初代大統領

出身地：セラーニク（現・ギリシア）
生没年：1881〜1938年
得意科目：フランス語、科学技術

わたしがトルコだ！ 新生トルコは前に進む！

オスマン帝国の軍人だった**ケマル**は、**第一次世界大戦**のとき、同盟国側についてイギリス軍を破り、将軍（パシャ）に上り詰めて国民的英雄となった。しかし、最終的にオスマン帝国は第一次世界大戦に敗れ、1920年のセーヴル条約で、領土は、それまでの半分になってしまう。

「このままでは植民地にされる」と危機を感じたケマルは、トルコ人国家として独立をめざす国民党を率いて**トルコ共和国**を建国、初代大統領になった。そして、領地を占領していたフランス、イギリス、ドイツ軍を破り、1923年のローザンヌ条約でトルコの独立を認めさせた。

ケマルはヨーロッパの制度を進んで取り入れた。新しい憲法をつくり、政治と宗教を分け、文字をアラビア文字からローマ字に変えた。また、女性の服装の自由や女性の政治参加を認めた。このように独立と近代化に力をつくしたケマルには**「アタテュルク」**（父なるトルコ人）の姓があたえられた。

終章 もっと知りたい世界の偉人

主なできごと

世紀	年	できごと
17世紀	1665年	フェルマー（▶310）、数式や理論を生み出し、メモを残して亡くなる
19世紀	1812年	グリム兄弟（▶304）、『子どもと家庭のための昔話集』第１巻を出版
	1835年	アンデルセン（▶304）、最初の童話集を出版
	1838年	ジョルジュ・サンド（▶305）、ショパン（▶160）と交際をスタート
	1859年	ダーウィン（▶307）、『種の起源』を発表
	1879年	ファーブル（▶307）、『昆虫記』を出版開始
20世紀	1911年	アムンゼン（▶308）、人類初の南極点到達
	1912年	スコット（▶308）、南極点に到達するも、雪嵐により亡くなる
	1922年	ハワード・カーター（▶309）、ツタンカーメン王の墓を発見
	1989年	オードリー・ヘプバーン（▶313）、ユニセフ親善大使となる

グリム兄弟

『グリム童話』をつくったのは6人兄弟の上のふたり

出身地：ドイツ
生没年：
兄・ヤーコブ 1785～1863年
弟・ヴィルヘルム 1786～1859年

言語学者で文学者の**グリム兄弟**。ふたりは仲よしで同じ大学で学び、古いドイツの言葉に興味をもつ。ドイツ各地の昔話を後の世に残すため、あちこちを調査した。そして集めた昔話を『子どもと家庭のための昔話集』と題して出版。そのなかには『灰かぶり(シンデレラ)』『いばら姫』『白雪姫』『赤ずきん』など200以上の昔話が収められている。世界中で翻訳され、日本では『**グリム童話**』の名で有名。

アンデルセン

『アンデルセン童話』でおなじみ

出身地：デンマーク
生没年：1805～1875年

児童文学作家にして詩人の**アンデルセン**。空想好きな少年で、若いころは歌手や俳優をめざしていたが、自分が書いた劇の台本が劇場で上演されたのをきっかけに作家になり、主に児童文学を創作する。『人魚姫』『裸の王様』『みにくいあひるの子』など、亡くなるまでに168編の童話を残した。甘く切ない物語は『**アンデルセン童話**』として、子どもから大人まで幅広い層に愛されている。

ジョルジュ・サンド

女性が自由に活躍できない社会への反抗で、男性名「**ジョルジュ・サンド**」を使って自分の考えを発表した女性初のプロ作家。『魔の沼』『愛の妖精』など美しい自然を描いた作品は、田園小説とよばれる。恋人の音楽家**ショパン**（▶160）との交際経験から音楽小説『コンシュエロ』を書いている。

ビアトリクス・ポター

ポターは『ピーターラビット』シリーズで知られる絵本作家。動植物のスケッチをするのが好きな少女で、26歳のときに飼っていたウサギの名前が「ピーター」。病気の子どもへの手紙にかきそえたウサギの絵をもとに、ピーターラビットが生まれる。ほかにも動物を主人公に、日々の暮らしをおもしろく描いた作品が多い。

ルーシー・モンド・モンゴメリ

出身地：カナダ
生没年：1874〜1942年

モンゴメリは、世界のベストセラー『赤毛のアン』シリーズの作者。『赤毛のアン』の舞台はふるさとのプリンスエドワード島で、祖父母との生活がモデル。また自身の小学校教師の経験や牧師との結婚、子育てが作品に生かされている。日本では、ドラマにもなった村岡花子の翻訳で親しまれている。

サン・テグジュペリ

サン・テグジュペリは『星の王子さま』の作者。12歳で初めて飛行機に乗り、後にパイロットになった。その経験を生かして書いた小説『夜間飛行』でフランスの文学賞を受賞。**第二次世界大戦**中、偵察飛行に出たまま行方不明になった。作品のなかで「人生でいちばん大切なものは何か」を問いつづけている。

アガサ・クリスティ

「ミステリーの女王」とよばれる推理作家、**アガサ・クリスティ**。個性的な主人公ポアロやミス・マープルが活躍するシリーズを次々発表。作品には読者が「あっ」とおどろく意外な展開や結末が用意されている。夫との中東旅行で乗った列車を舞台に書かれた『オリエント急行の殺人』をはじめ、多くの作品が映画などの原作になっている。

フランソワーズ・サガン

出身地：フランス
生没年：1935～2004年

少女恋愛小説の名手**フランソワーズ・サガン**。読書好きな少女時代を経て、大学在学中の18歳のときに書いた長編小説『悲しみよこんにちは』で作家デビュー。金持ち階級に属する少女の反抗や幻滅を描いたこの作品は世界中でベストセラーに。代表作に『ブラームスはお好き』『ある微笑』などがある。

ダーウィン

生き物は進化しているのだ！

出身地：イギリス
生没年：1809〜1882年

生物学者のダーウィンは、測量船ビーグル号に乗って、ガラパゴス諸島などをまわり、ゾウガメなどの動植物観察や、化石収集、地質調査などを行った。その結果、生き物は環境が変われば、姿かたちを変え、「進化する」ことに気づいた。この「進化論」は、※聖書の教えを否定していると、宗教家たちの反発を受けるが、ダーウィンは『種の起源』として発表し、世間をゆるがした。

※聖書の教え：神の天地創造により、宇宙や地球、生命が誕生したとされる「創造説」。

ファーブル

『ファーブル昆虫記』の作者です

出身地：フランス
生没年：1823〜1915年

昆虫学者ファーブル。学生のときスカラベという昆虫の「フン転がし」に感動し、昆虫学にのめりこむ。教師をしながら植物採集をしたり、解剖学を学んだりし、コルシカ島で昆虫観察をつづけた。後にタマムシツチスガリというハチの研究が認められ、フランス学士院の賞を受賞。教師をやめたあと、自然豊かな村で『昆虫記』10巻を書きあげ、91歳で亡くなるまで昆虫観察をつづけた。

アムンゼン

初めて南極点を踏んだ男

出身地：ノルウェー
生没年：1872〜1928年

北極や南極に挑んだ探検家、**アムンゼン**。漁船でアラスカの北西航路を航海した後、**北極点**いちばん乗りをめざしたが、アメリカの軍人に先を越され、**南極点**へ目標を変更。探検船「フラム号」で南下し、エスキモー犬に4台のそりを引かせて、ついに1911年12月14日、世界で初めて南極点に到達した。1926年には、飛行船での北極横断にも成功。仲間と共に、人類初の両極点到達を成しとげた。

スコット

南極点をめざしたもうひとりの男

出身地：イギリス
生没年：1868〜1912年

アムンゼン（▶308）のライバルで、イギリス海軍軍人の探検家**スコット**。1910年、**南極点**へむけ出発。雪上車や馬を使い、途中吹雪にあいながらも、1912年1月18日、南極点に到達。しかし、そこにはすでにノルウェーの国旗が立てられていた。アムンゼンに先を越されたスコット隊は、失意の中、引き返すことに。しかし、雪嵐に巻き込まれ全員が命を落とす悲劇の結末をむかえた。

小説のモデルとなった死体コレクター
ジョン・ハンター

出身地：イギリス
生没年：1728〜1793年

死体の解剖をくり返して人体の仕組みを学び、イギリス王家の外科医になった解剖医**ジョン・ハンター**。解剖用の死体は、墓を掘り返して用意したことも。また世界中から珍動物や植物を集め、骨格標本などを作製。その数は1万4千点にものぼる。表門はお客様用、裏門からは死体が運びこまれた彼の屋敷は、スティーヴンソンの小説『ジキル博士とハイド氏』のモデルとなった。

ツタンカーメン王の墓の発見者
ハワード・カーター

出身地：イギリス
生没年：1874ころ〜1939年

イギリスの考古学者**ハワード・カーター**。エジプトの**「王家の谷」**を発掘調査し、5年かけて**ツタンカーメン王**の墓を発見する。墓からは、黄金のマスクや玉座など、手つかずの埋蔵品約1700点が見つかった。このツタンカーメン王の墓の発掘関係者が次々と亡くなり、「王家の呪い」とさわがれたが、ハワードはイギリスにもどり、64歳で亡くなるまで無事にすごした。

数学の**「フェルマーの最終定理」**※で知られる**フェルマー**だが、実は数学が趣味の法律家。数学者との交流や古代の『算術』の研究から数式や理論を生み出した。本の余白に「定理に関してすばらしい証明を見つけた。でもこの余白には書ききれない」と意味深なメモを残して亡くなる。だれもこの定理の証明ができず、長く数学界の謎とされたが、360年後にようやく証明された。

※**フェルマーの最終定理**：数学で証明されている、とても難しい定理。

子どもは自分の力で成長するの！

マリア・モンテッソーリ

出身地：イタリア
生没年：1870～1952年

イタリア初の女性医学博士である**マリア・モンテッソーリ**。障害のある子どもの治療に関わり、教育についても学ぶ。そして、子どもがもっている能力を、それぞれの子に合ったペースで楽しくのばす教育法を開発した。この「モンテッソーリ教育法」は、世界各国に広まり、**アンネ・フランク**（▼244）もこの教育を受けている。晩年は、平和と子どもの命を守る運動に力を注いだ。

マリア・フォン・トラップ

『サウンド・オブ・ミュージック』のモデルです

家庭教師としてトラップ家に入り、母を亡くした7人の子どもたちと、音楽で心を通わせた**マリア**。やがて子どもたちの父親・ゲオルクと結婚して新たに3人の子どもにも恵まれた。**第二次世界大戦**中、トラップ一家はファミリー合唱団を結成。アメリカやヨーロッパで演奏会を開き人気に。マリアの自伝をもとにつくられたミュージカル映画『**サウンド・オブ・ミュージック**』は、世界中で大ヒットした。

出身地：オーストリア
生没年：1905～1987年

ヘディー・ラマー

ハリウッド女優は発明家!?

10代で映画デビューし、その美しさで話題になったが、19歳のときに結婚して引退。その後は結婚と離婚をくり返し、ハリウッドで俳優業を再開した。一方、**第二次世界大戦**時、ドイツ軍の潜水艦Uボートに対抗するための魚雷誘導システム「スペクトラム拡散」を発明し、特許を取得。このシステムは、現在の携帯電話や無線LANなどにも応用されていて、発明家としても成功している。

出身地：オーストリア
生没年：1914～2000年

女優から公妃へ！華麗なる人生

グレース・ケリー

第1幕：女優になる

明るくスポーツ好きな一家のなかで、ひとりだけ病弱で、空想好きの**グレース・ケリー**は「わたしはお父さんから愛されていないのかも」と悩むネクラな少女だった。

しかし、劇作家の叔父のすすめで演技を学ぶと、見違えるように成長する。言葉のなまりや太めの体型を克服して※**ブロードウェイ**デビュー。映画『真昼の決闘』が話題となり、映画俳優の道へ。1955年には『喝采』でアカデミー賞主演女優賞を受賞。気弱なメガネ女子が「クール・ビューティ」な女優に見事な変身をとげた。

第2幕：公妃になる

ところが、グレースは人気絶頂のなか女優業をやめ、世の中をおどろかせる大変身をする。世界で2番目に小さい国・**モナコ公国**の大公と結婚し「グレース公妃」となったのだ。3人の子に恵まれ、モナコと家族のために生涯を捧げた。しかし、自ら運転する車の事故で亡くなり、華麗なる人生は、悲しい幕切れをむかえた。

※ブロードウェイ：アメリカ合衆国のニューヨークにある大通り。劇場の街になっている。

コンプレックスをチャームポイントに

少女のころの**オードリー**の夢は、バレエダンサーになること。夢をかなえるため、猛練習にはげんだ。けれど、「背が高すぎる」という理由で主役にはなれなかった。

夢をあきらめたオードリーは芝居の道へ。主役を演じた舞台『ジジ』は、ブロードウェイで大絶賛。するとバレエでは生かせなかった長身と、チャーミングな笑顔が最大の武器になる。映画『**ローマの休日**』では、キュートな演技でアカデミー賞主演女優賞を受賞。「永遠の妖精」とよばれ愛された。

子どもたちの永遠の妖精

成功の一方、**第二次世界大戦**を経験していたオードリーは、戦争による犠牲者のために何かをしたいと願っていた。そして晩年は、※ユニセフの親善大使になり、食べ物がなくて苦しむ子どもたちのもとを訪れて、やさしく微笑みかけ、はげまし、募金活動などを行った。オードリーは言う。「周りにいる人を大事にしてみてね」「愛は行動なのよ」と。

※ユニセフ：国際連合児童基金の略称。世界中の子どもの命と健康を守るための活動をしている。

人物名さくいん

調べ学習に役立つ！ 歴史用語さくいん

※太字はくわしく紹介しているページです。

〈主な参考文献〉『詳説 世界史 改訂版』木村靖二・岸本美緒・小松久男 他著（山川出版社）／『明解世界史図説 エスカリエ 九訂版』（帝国書院）／『世界伝記大事典』（ほるぷ出版）／『世界人物逸話大事典』朝倉治彦・三浦一郎著（角川書店）／『詳説 世界史研究』木下康彦・木村靖二・吉田寅／編（山川出版社）／『学習漫画 世界の伝記』シリーズ（集英社）／『世界ふくそうの歴史①～⑤』高橋晴子監修（リブリオ出版）

監修　祝田秀全(いわた しゅうぜん)

元聖心女子大学講師。世界史、映像文化論専攻。『銀の世界史』(筑摩書房)、『2時間でおさらいできる世界史』(大和書房)、『東大生が身につけている教養としての世界史』(河出書房新社)ほか著書多数。

デザイン・DTP　レッドセクション

イラスト・まんが　aiha-deko、藍飴、歌城ありな、大西はるか、架月七瀬、小咲さと、坂川由美香、沙紅、TAKA、たはらひとえ、丹堂エンヂ、tsukasa、とくまる、NAKA、夏子、七輝翼、煮たか、白皙、はしこ、二尋鴇彦、松尾奈央、間宮彩智、峰子、憂、ラディカルデザインオフィス(五十音順)

原稿作成　森村宗冬・木下明子・山内ススム

原稿協力　高橋みか

資料提供　ニューヨーク公共図書館、国立科学博物館

写真提供　Shutterstock.com(Rich Lynch 、Ttstudio、Bernhard Richter、Mapics、Phant、Viacheslav Lopatin、Matteo Gabrieli、Celebrian、Shchipkova Elena、Elodie50a、Mark Yarchoan、Lukasz Kurbiel、Kamira、Mister_Knight、Robert Cravens、kawano、axz700、DnDavis、testing、freevideophotoagency、Aleksandar Todorovic)

協力　東北新社、日本チャップリン協会

校正　くすのき舎、みね工房

編集協力　株式会社 童夢

企画・編集　成美堂出版 編集部(原田洋介・芳賀篤史)

世界の歴史 人物事典

監　修　祝田秀全(いわた しゅうぜん)

発行者　深見公子

発行所　成美堂出版

〒162-8445　東京都新宿区新小川町1-7

電話(03)5206-8151　FAX(03)5206-8159

印　刷　広研印刷株式会社

ISBN978-4-415-32476-0

落丁･乱丁などの不良本はお取り替えします

定価はカバーに表示してあります